O CÃO DOS BASKERVILLE

SHERLOCK
O CÃO DOS BASKERVILLE

SIR ARTHUR CONAN DOYLE

Tradução: Michele de Aguiar Vartuli

Copyright © Introdução, 2012, Benedict Cumberbatch
Copyright © 2015, Companhia Editora Nacional

Diretor Superintendente: Jorge Yunes
Diretora Editorial Adjunta: Soraia Reis
Editores: Luciana Bastos Figueiredo, Marcelo Yamashita Salles
Assistência Editorial: Rafael Fulanetti
Preparação de Texto: Nilce Xavier
Revisão: Lilian Aquino
Coordenação de Arte: Márcia Matos
Assistência em Arte: Luiz Felipe Souza

Publicado em 2012 pela BBC Books, um selo da Ebury Publishing, empresa do grupo Random House.

Este livro foi publicado como acompanhamento da série de televisão *Sherlock*, transmitida pela BBC 1 em 2012.
Sherlock é uma produção da Hartswood Films para a BBC Wales, em coprodução com a MASTERPIECE.
Produtores executivos: Beryl Vertue, Mark Gatiss e Steven Moffat
Produtora executiva da BBC: Bethan Jones
Produtora executiva da MASTERPIECE: Rebecca Eaton
Produtora da série: Sue Vertue

CIP-BRASIL. CATALOGAÇÃO-NA-FONTE
SINDICATO NACIONAL DOS EDITORES DE LIVROS, RJ

D784s

Doyle, Arthur Conan, Sir, 1859-1930
Sherlock: o cão dos Baskerville / Arthur Conan Doyle ; tradução Michele de Aguiar Vartuli. - 1. ed. - São Paulo : Companhia Editora Nacional, 2015.
264 p. : il. ; 21 cm.

Tradução de: Sherlock: the hound of the Baskervilles
ISBN 978-85-04-01960-5

1. Holmes, Sherlock (Personagem fictício) - Ficção. 2. Detetives particulares - Inglaterra - Ficção. 3. Bênção e maldição - Ficção. 4. Ficção policial inglesa. I. Vartuli, Michele de Aguiar. II. Título.

15-21361
CDD: 823
CDU: 821.111-3

26/03/2015 31/03/2015

1ª edição - São Paulo - 2015
Todos os direitos reservados

NACIONAL

EDITORA AFILIADA

Av. Alexandre Mackenzie, 619 - Jaguaré
São Paulo - SP - 05322-000 - Brasil - Tel.: (11) 2799-7799
www.editoranacional.com.br - editoras@editoranacional.com.br
CTP, Impressão e acabamento IBEP Gráfica

Sumário

Introdução de Benedict Cumberbatch 7

1. O Sr. Sherlock Holmes 13
2. A maldição dos Baskerville 23
3. O problema 39
4. Sir Henry Baskerville 53
5. Três pistas interrompidas 71
6. Baskerville Hall 87
7. Os Stapleton de Merripit House 101
8. O primeiro relatório do Dr. Watson 121
9. A luz em meio ao pântano 133
10. Trecho do diário do Dr. Watson 159
11. O homem sobre o rochedo 175
12. Morte no pântano 195
13. Ajustando as redes 215
14. O Cão dos Baskerville 231
15. Uma retrospectiva 249

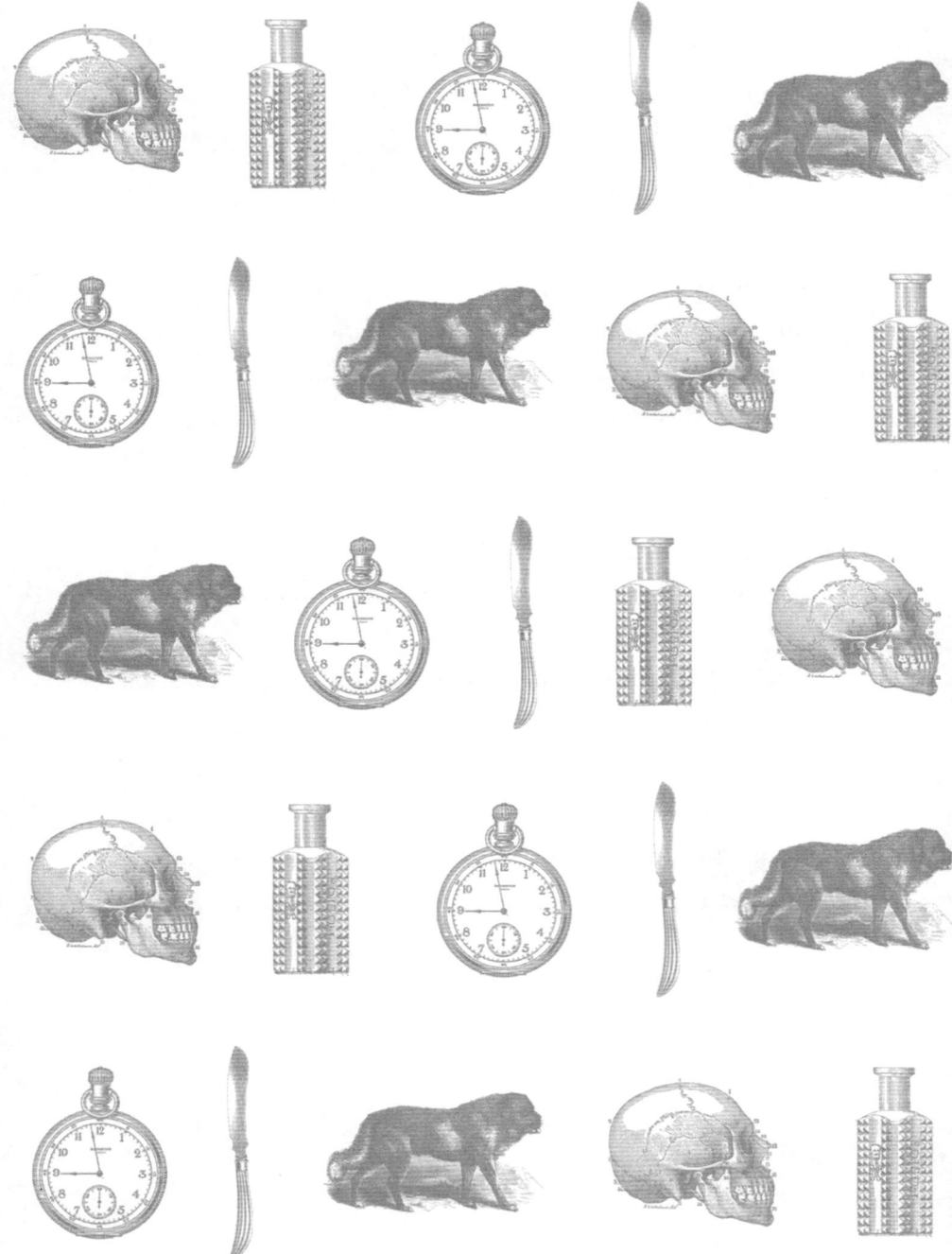

INTRODUÇÃO

"Sr. Holmes, eram as pegadas de um cão gigantesco!"
Ótima fala.
Fim.
Peraí, vocês querem que eu escreva toda a INTRODUÇÃO de *O Cão*?
(Se fosse pra ser um musical, iríamos chamá-lo assim:"O Cão!" Um musical... taí uma ideia... CONCENTRE-SE, Cumberbatch!)
Isso não é alguma armação de Martin Freeman — que está determinado a fazer o nome do seriado mudar para "John" o quanto antes? Afinal, esta é a mais popular e apavorante das histórias originais, mas Holmes fica, como se sabe, ausente em seis dos quinze capítulos. Por quê?
Porque é óbvio que é um cachorro! Desculpem, acho que entreguei o final da história...

Mas Sherlock iria resolver o caso rápido demais procurando o maior cachorro da vizinhança, e estaríamos de volta ao 221B a tempo de abrir o *tantalus** e tirar mais um charuto do postigo do carvão. Aliás, não seria Mark Gatiss quem deveria escrever isto aqui? Ele é o roteirista da nossa versão e tem um cachorro! Bunsen! Tudo bem que, para ser justo com Mark (e com Bunsen), o dele não solta fogo pela boca (a menos que tenha comido alguma conserva estragada na noite anterior), e seus olhos não reluzem "com um brilho abrasador", muito menos seus pelos e seu papo têm uma aura "de bruxuleantes labaredas". Bunsen baba, deita de costas e gosta de carinho na barriga...

Eu fiz contato tarde com Sherlock Holmes. Cheguei a ele uns três anos atrás, e ainda estou chegando. Agora já li todas as histórias, mas no começo eu era um iniciante e precisava confiar nos dois maiores fanáticos por Holmes que conheço — Steven Moffat e Mark Gatiss. Para interpretar o maior detetive (consultor, mas acho que ele também é o maior dos detetives) do mundo, deixei que eles guiassem meu instinto. Para minha sorte, eles não estavam blefando, e são também dois dos melhores roteiristas do nosso país. Eu comecei pelo princípio, e em *Um estudo em vermelho* percebi que os livros

---

*Gabinete de madeira, com fechadura, para duas ou três garrafas de bebida, projetado para deixá-las à mostra, mas fora do alcance de pessoas não autorizadas. O projeto foi patenteado na Inglaterra pelo holandês George Betjemann no final do século XIX. Seu nome faz referência às tentações frustradas de Tântalo na mitologia grega. (N.T.)

INTRODUÇÃO

são um diagrama de qualquer caracterização, e tornam o papel de Sherlock uma dádiva.

O Dr. Watson é, como sua ocupação exige, uma pessoa muito observadora. (Bem, ele vê, mas nem sempre observa, como Holmes frequentemente lhe diz.) Mas como alguém que dá vida a Holmes por escrito, Watson é brilhante. Assim, minha leitura de pesquisa ganhou ritmo. Bem como meu amor por todas as coisas relacionadas com essas histórias incríveis. É uma alegria poder dizer que meu dever de casa era ler o cânone sherlockiano. Ah, a vida de ator é pra mim!

Watson fornece uma primeira descrição maravilhosa do aspecto físico de Holmes: *Enquanto eu o observava, me vinha à mente a imagem irresistível de um cão de caça puro-sangue e bem treinado, correndo de um lado para o outro no mato, ganindo sofregamente, até farejar o rastro perdido.* Holmes mais tarde se descreve como "um dos cães de caça, não o lobo", e, embora seja como um sabujo hiperestimulado quando fareja uma pista, às vezes exibe o outro lado do comportamento canino, em seu estado onírico letárgico e deprimido junto à lareira do 221B. Diferentemente do melhor amigo do homem, porém, muitas vezes ele chega a isso com a ajuda de uma solução injetável de cocaína a 7%.

Há muitos cães no cânone sherlockiano. Os que ladram à noite e os que não ladram. No conto "O Gloria Scott", revela-se que, na universidade, Holmes foi mordido por um *bull terrier* e levou dez dias para se recuperar! E há o curioso mestiço Toby, o confiável cão metade *spaniel*, metade perdigueiro (ou seja, essa metade é um quarto *greyhound* e um quarto *Irish wolfhound*, certo? CONCENTRE-SE, Cumberbatch!). De qualquer forma, evite pensar na imagem de uma cadela *spaniel* sendo montada por um cão perdigueiro (presumindo que não tenha sido o contrário... acho que nesse caso o tamanho importa) e considere, em vez disso, que Holmes dá "mais valor à ajuda de Toby do que à de toda a detetivesca londrina".

Mas só existe um cão realmente importante no cânone sherlockiano. E ele chafurda em meio às brumas de Dartmoor — a maldição ancestral que acomete a família Baskerville!

Lembro que tomei contato pela primeira vez com esta narrativa dilacerante quando ela me foi lida. Por um professor, ou então pelo meu brilhante e divertido pai. Lembro que fiquei genuinamente com medo dos elementos fantasmagóricos da história, mas tinha certeza de que nosso herói iria varrer as teias de aranha da superstição com sua busca incansável pela lógica. Mas espere! O Dr. Watson é enviado para Dartmoor... sozinho! Em nossa recente versão para o seriado *Sherlock*, da BBC, passamos vários dias nas locações, fugindo de Londres para encontrar a outra personagem principal da história: Dartmoor. É uma paisagem assombrosa. Colinas e vales a perder de vista, abrindo-se para a majestade descortinada dos pântanos, e panoramas intermináveis à luz do sol poente. Quando caía a noite, porém, o frio logo chegava e a paisagem de certa forma se metamorfoseava, tornando-se

INTRODUÇÃO

completamente alienígena e deserta. Esse é o lugar de soturna beleza que Conan Doyle transforma com maestria numa paisagem de pesadelo, cheia de penedos pedregosos e neblina. Os ruídos parecem mais próximos. Você sente um aperto no peito ao temer o que pode estar à distância da sua mão estendida. E então, um uivo distante... sua dor e desespero causam calafrios. O ganido de uma fera faminta e vingativa!

Portanto, se esta é a sua primeira vez, bem-vindo, e eu invejo as emoções à sua espera nestas páginas. Se você está revisitando um velho amigo, me perdoe por tomar seu tempo! Senhoras e senhores, o caso mais famoso, amado, assustador e atmosférico de Sherlock Holmes, *O Cão dos Baskerville*.

Ficou boa? Posso fazer mais uma? Como assim, não é como numa filmagem...?

Oh!

Benedict Cumberbatch

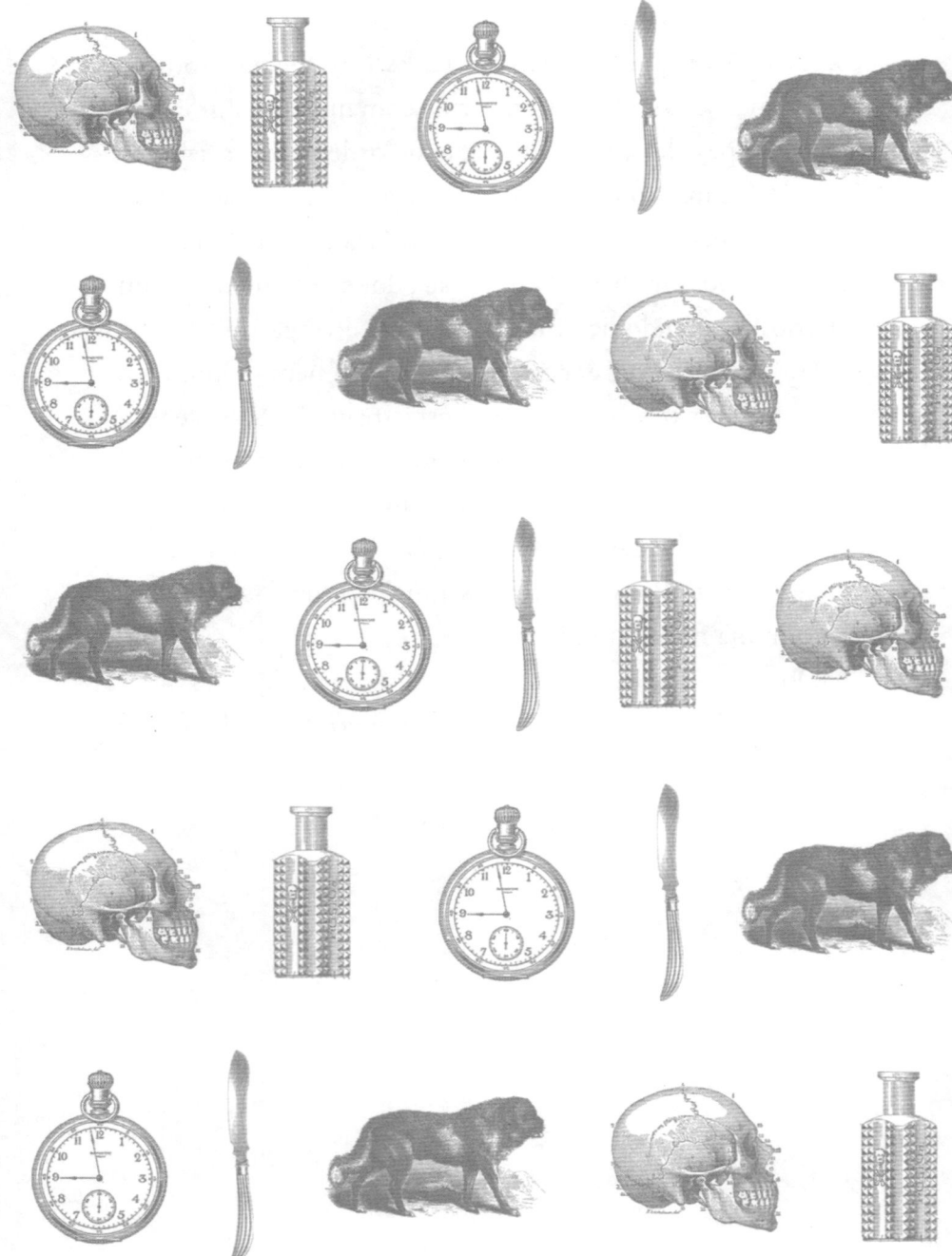

um
O SR. SHERLOCK HOLMES

O Sr. Sherlock Holmes, que costumava acordar muito tarde pela manhã, salvo pelas não raras ocasiões em que se mantinha acordado a noite toda, estava sentado à mesa do desjejum. De pé sobre o tapete perto da lareira, peguei a bengala que nosso visitante esquecera na noite anterior. Era uma peça de madeira elegante e grossa, com um bulbo pronunciado no cabo, do tipo que é conhecido como "Penang lawyer". Logo abaixo do cabo, havia uma larga faixa de prata, de mais de dois centímetros. "Para James Mortimer, Membro do Colegiado Real de Cirurgiões, de seus amigos do HCC" estava gravado nela, com a data "1884". Era o tipo de bengala que os médicos de família de antigamente costumavam carregar — digna, robusta e segura.

— Bem, Watson, o que acha dela?

Holmes estava sentado de costas para mim, e eu não havia lhe dado nenhuma indicação do que me ocupava no momento.

— Como sabe o que eu estava fazendo? Acho que você tem olhos na parte de trás da cabeça.

— Eu tenho, no mínimo, um bule de café prateado e bem polido na minha frente — ele disse. — Mas me diga, Watson, o que acha da bengala do nosso visitante? Já que tivemos o azar de nos desencontrar dele e não fazemos ideia do motivo de sua visita, esse *souvenir* acidental reveste-se de importância. Mostre-me como você recria o homem a partir de um exame de sua bengala.

— Acho — eu disse, usando, até onde conseguia, os métodos do meu colega — que o Dr. Mortimer é um homem de medicina bem-sucedido e idoso, estimado, já que seus conhecidos lhe deram este símbolo de sua gratidão.

— Ótimo! — disse Holmes. — Excelente!

— Também acho provável que seja um médico do interior, que faz grande parte de suas visitas a pé.

— Por quê?

— Porque esta bengala, embora fosse originalmente muito bela, foi tão castigada que não consigo imaginar um médico urbano a usá-la. O grosso reforço de ferro da ponta está gasto, por isso é evidente que ele caminhou muito com ela.

— Perfeitamente lógico! — disse Holmes.

— Além disso, há a inscrição "amigos do HCC". Suponho que isso signifique Não-sei-que Clube de Caça, o clube de caça local, cujos membros ele possivelmente assistiu como cirurgião, e que lhe deram um pequeno presente em troca.

— Realmente, Watson, você se supera — disse Holmes, empurrando sua poltrona para trás e acendendo um cigarro. — Devo dizer que, em todos os relatos que teve a bondade de fazer das minhas modestas realizações, você habitualmente subestimou suas próprias habilidades. Você pode não ser luminoso, mas é um condutor de luz. Algumas pessoas, mesmo sem possuir a genialidade, têm o poder notável de estimulá-la. Confesso, caro amigo, que devo muito a você.

Ele nunca havia dito algo assim, e devo admitir que suas palavras agradaram-me sobremaneira, pois muitas vezes eu me irritara com sua indiferença à minha admiração e às tentativas que eu fazia de tornar conhecidos seus métodos. Eu me orgulhava, também, de pensar que já dominava o seu sistema a ponto de aplicá-lo de uma forma que merecesse sua aprovação. Então, ele tomou a bengala das minhas mãos e a examinou por alguns minutos a olho nu. Depois, com uma expressão de interesse, deixou seu cigarro e, levando a bengala até a janela, examinou-a de novo com uma lente convexa.

— Interessante, ainda que elementar — ele disse, voltando para seu canto favorito da espreguiçadeira. — Existem certamente uma ou duas indicações na bengala. Elas dão base a várias deduções.

— Algo me escapou? — perguntei, com uma certa empáfia. — Acredito que não haja nada importante que eu tenha negligenciado?

— Infelizmente, meu caro Watson, a maioria de suas conclusões foi errônea. Quando digo que você me estimula, quero dizer, para ser franco, que notando suas falhas sou ocasionalmente guiado até a verdade. Não que você esteja de todo errado, nesta instância. O homem é, de fato, um médico do interior. E caminha muito.

— Então eu estava certo.

— Até aí.

— Mas isso é tudo.

— Não, não, meu caro Watson, não é tudo... de forma alguma é tudo. Eu sugeriria, por exemplo, que é mais provável que um presente a um médico venha de um hospital do que de um clube de caça, e que quando depois de "Hospital" vêm as iniciais "CC", as palavras "Charing Cross" me são mui naturalmente sugeridas.

— Você pode estar certo.

— As probabilidades o indicam. E se tomarmos isso como hipótese provisória, temos uma nova base a partir da qual começar nossa recriação desse visitante desconhecido.

— Bem, então, supondo que "HCC" signifique mesmo "Hospital de Charing Cross", que outras inferências podemos fazer?

— Nenhuma se sugere? Você conhece meus métodos. Aplique-os!

— Só posso pensar na óbvia conclusão de que o homem exerceu a medicina na cidade, antes de ir para o campo.

— Acho que podemos nos aventurar um pouco além disso. Veja por este lado: em que ocasião seria mais provável que ele recebesse um presente assim? Quando seus amigos se uniriam para lhe dar tal prova de sua estima? Obviamente, no momento em que o Dr. Mortimer se retirasse do serviço no hospital para começar sua própria prática. Sabemos que houve um presente. Acreditamos que tenha havido uma mudança de um hospital urbano para uma prática no campo. É, portanto, levar a inferência longe demais dizer que o presente foi entregue por ocasião da mudança?

— Certamente isso parece provável.

— Agora, observe que ele não poderia ter sido um *funcionário* do hospital, já que somente um médico bem estabelecido numa prática londrina poderia alcançar tal posição, e alguém assim não se mudaria para o interior. O que ele era, então? Se estava no hospital e ainda não era funcionário, só poderia ser cirurgião ou médico residente, pouco mais do que um estudante de Medicina em fim de curso. E ele deixou o hospital há cinco anos, a data está na bengala. Portanto, seu médico familiar grave e de meia-idade desaparece em pleno ar, meu caro Watson, e surge um jovem de menos de 30 anos, amigável, modesto, distraído e dono de um cão de estimação, que eu descreveria aproximadamente como maior do que um *terrier* e menor do que um *mastiff*.

Eu ri, incrédulo, enquanto Sherlock Holmes se refestelava na espreguiçadeira e baforava trêmulos anéis de fumaça para o forro.

— Quanto à última parte, não tenho como verificar a sua teoria — eu disse —, mas ao menos não é difícil descobrir alguns detalhes sobre a idade e a carreira profissional do homem.

De minha pequena prateleira de tomos de Medicina, puxei o Registro Médico e consultei o sobrenome. Havia alguns Mortimer, mas somente um que poderia ser o nosso visitante. Li sua ficha em voz alta.

"Mortimer, James, Colegiado Real de Cirurgiões, 1882, Grimpen, Dartmoor, Devon. Cirurgião residente de 1882 a 1884 no Hospital de Charing Cross. Vencedor do Prêmio Jackson de Patologia Comparada com o ensaio 'A doença é uma reversão?'. Membro correspondente da Sociedade Sueca de Patologia. Autor de 'Algumas aberrações do atavismo' (Lancet, 1882), 'Progredimos?' (Journal of Psychology, março de 1883). Médico distrital de Grimpen, Thorsley e High Barrow."

— Nenhuma menção àquele clube de caça local, Watson — disse Holmes, com um sorriso maldoso —, mas é um médico do interior, como você astutamente observou. Acho que estou bem justificado em minhas inferências. Quanto aos adjetivos, eu disse, se bem me lembro, amigável, modesto e distraído. Minha experiência revela que só um homem amigável, neste mundo, recebe homenagens, só um homem modesto abandona uma carreira em Londres pelo campo e só um homem distraído deixa sua bengala e não seu cartão de visitas depois de esperar por uma hora em nossa sala.

— E o cão?

— Tem o hábito de carregar a bengala ao seguir o dono. Por ser um bastão pesado, o cão o segura com firmeza pelo meio, e as marcas de seus dentes são bastante visíveis. A mandíbula do cão, como é revelado pelo espaço entre as marcas, é larga demais, na minha opinião, para um *terrier* e não larga o suficiente para um *mastiff*. Podia ser, sim, por Jove, é um *cocker spaniel*.

Ele se levantara e estava andando pela sala enquanto falava. Então parou perto da janela. Havia tamanha convicção em sua voz que ergui o olhar, surpreso.

— Caro amigo, como pode ter tanta certeza disso?

— Pelo muito simples motivo de estar vendo o próprio cão à nossa porta, e aí está o seu dono tocando a campainha. Não se mexa, eu imploro, Watson. Ele é seu irmão de profissão, e ter você presente pode ser-me útil. Agora é o momento dramático do destino, Watson, quando você ouve passos na escada, entrando na sua vida, e não sabe se isso é bom ou ruim. O que o Dr. James Mortimer, homem de ciência, pedirá a Sherlock Holmes, especialista no crime? Entre!

A aparência do nosso visitante foi uma surpresa para mim, já que eu estava esperando um típico médico rural. Ele era um homem muito alto e magro, com um nariz adunco que despontava entre dois olhos astutos e cinzentos, muito próximos e brilhando por trás de uns óculos com armação de ouro. Trajava-se de forma profissional, mas um tanto desleixada, pois seu sobretudo era desbotado e a calça, puída. Embora fosse jovem, suas costas altas já estavam encurvadas, e ele andava com a cabeça projetada para a frente e um ar geral de benevolência curiosa. Quando ele entrou, seu olhar recaiu sobre a bengala nas mãos de Holmes, e ele correu em sua direção com uma exclamação de alegria.

— Estou tão feliz — ele disse. — Não sabia se a havia deixado aqui ou na agência de envio de cargas. Não perderia esta bengala por nada no mundo.

— Uma homenagem, pelo que vejo.

— Sim, senhor.

— Do Hospital de Charing Cross?

— De um ou dois amigos dali, por ocasião do meu casamento.

— Ora, ora, isso é ruim! — disse Holmes, balançando a cabeça.

O Dr. Mortimer piscou por trás dos óculos, ligeiramente assombrado.

— Por que é ruim?

— Só porque o senhor fez ruir nossas deduçõezinhas. Seu casamento, disse?

— Sim, senhor. Eu me casei e por isso deixei o hospital, e com ele qualquer esperança de estabelecer a minha prática. Era necessário procurar uma casa para morar.

— Bem, bem, não erramos tanto, no fim das contas — disse Holmes. — E agora, Dr. James Mortimer...

— Pode me chamar de senhor, sou só um humilde Membro do Colegiado Real de Cirurgiões.

— E um homem de mente meticulosa, evidentemente.

— Um aficcionado por ciência, Sr. Holmes, um catador de conchas nas praias do grande oceano do desconhecido. Presumo que esteja me dirigindo ao Sr. Sherlock Holmes, e não...

— Não, este é o meu amigo, o Dr. Watson.

— É um prazer conhecê-lo. Ouvi mencionarem seu nome em conexão com o do seu amigo. O senhor me interessa muito, Sr. Holmes. Eu não esperava um crânio tão dolicocéfalo, tampouco um desenvolvimento supraorbital tão pronunciado. O senhor se incomodaria se eu corresse o dedo por sua fissura parietal? Um molde do seu crânio, senhor, até que o original esteja disponível, seria um ornamento bem-vindo em qualquer museu antropológico. Não é minha intenção ser invasivo, mas confesso que cobiço o seu crânio.

Sherlock Holmes apontou uma poltrona para nosso estranho visitante.

— O senhor é um entusiasta de sua linha de pensamento, pelo que percebo, como eu sou da minha — ele disse. — Observo, pelo seu indicador, que faz os próprios cigarros. Não hesite em acender um.

O homem sacou papel de seda e tabaco e enrolou um no outro com surpreendente destreza. Ele tinha dedos longos e trêmulos, tão ágeis e inquietos quanto as antenas de um inseto.

Holmes estava em silêncio, mas seus breves olhares de relance me revelavam o interesse que ele nutria por nosso curioso colega.

— Presumo, senhor — ele disse finalmente —, que não foi apenas com o propósito de examinar o meu crânio que me concedeu a honra de suas visitas, ontem à noite, e novamente hoje.

— Não, senhor, não; embora fique feliz pela oportunidade de fazer isso também. Eu o procurei, Sr. Holmes, porque reconheço que não sou um homem prático, e me vejo repentinamente confrontado com um problema dos mais sérios e extraordinários. Reconhecendo, como reconheço, que o senhor é o segundo maior especialista da Europa...

— Deveras, senhor! Posso indagar quem tem a honra de ser o primeiro? — perguntou Holmes, com alguma aspereza.

— Para o homem de mente precisamente científica, o trabalho de Monsieur Bertillon sempre tem um forte apelo.

— Então não seria melhor o senhor ir consultá-lo?

— Eu disse, senhor, para a mente precisamente científica. Mas como prático homem de negócios que sou, reconheço que o senhor é único. Espero não tê-lo inadvertidamente...

— Só um pouco — disse Holmes. — Eu acho, Dr. Mortimer, que seria aconselhável, sem mais delongas, que fizesse a gentileza de me expor francamente a natureza exata do problema para o qual requer minha assistência.

dois
A MALDIÇÃO DOS BASKERVILLE

— Tenho em meu bolso um manuscrito — disse o Dr. James Mortimer.

— Eu o observei quando o senhor entrou na sala — disse Holmes.

— É um manuscrito antigo.

— Início do século XVIII, a menos que seja uma falsificação.

— Como pode saber?

— O senhor apresentou alguns centímetros dele para meu exame o tempo todo em que esteve falando. Só um especialista de pouca monta seria incapaz de datar um documento com aproximação de mais ou menos uma década. Talvez tenha lido minha singela monografia sobre o assunto. Estimo que seja de 1730.

— A data exata é 1742. — O Dr. Mortimer puxou o papel do bolso do peito. — Este documento familiar foi entregue aos meus cuidados por Sir Charles Baskerville, cuja morte trágica e repentina, uns três meses atrás, tanto alvoroço causou em Devonshire. Devo dizer que eu era amigo pessoal dele, bem como seu médico. Ele era um homem voluntarioso, senhor, sagaz, prático e tão sem imaginação quanto eu. No entanto, levava este documento muito a sério, e sua mente estava preparada exatamente para o tipo de destino que acabou por ceifá-lo.

Holmes estendeu a mão para pegar o manuscrito e o abriu sobre o joelho.

— Observe, Watson, o uso alternado do *s* longo e do curto. É uma das várias indicações que me possibilitou estabelecer a data.

Olhei por cima do ombro dele para o papel amarelado e a escrita desbotada. No cabeçalho estava escrito "Baskerville Hall", e abaixo, em grandes algarismos rabiscados: "1742".

— Parece ser uma descrição de algum tipo.

— Sim, a descrição de uma certa lenda que se perpetua na família Baskerville.

— Mas imagino que o motivo de sua consulta seja algo mais moderno e prático.

— Muito moderno. Uma questão assaz prática e urgente, que precisa ser decidida dentro de 24 horas. Mas o manuscrito é breve e está intimamente ligado ao caso. Com sua permissão, vou lê-lo para o senhor.

Holmes se recostou em sua poltrona, juntou as pontas dos dedos e fechou os olhos, com ar de resignação. O Dr.

Mortimer virou o manuscrito para a luz e leu, em voz alta e rouca, a curiosa e arcaica narrativa a seguir:

— Da origem do Cão dos Baskerville já foram feitos muitos relatos, mas como eu descendo diretamente de Hugo Baskerville, e como ouvi a história de meu pai, que a ouviu do seu, anoto-a, convencido de que aconteceu da forma aqui descrita. E quero que creiais, meus filhos, que a mesma Justiça que pune o pecado também pode mui graciosamente perdoá-lo, e que nenhum banimento é tão gravoso que não possa ser revogado pela oração e arrependimento. Aprendei, portanto, com esta história a não temer os frutos do passado, e sim a serdes circunspectos no futuro, para que as paixões imundas que tão lamentavelmente fizeram nossa família sofrer não sejam novamente desencadeadas para nossa ruína.

"Sabei, portanto, que na época da Grande Rebelião (a história da qual, de autoria do estudioso Lorde Clarendon, vos recomendo com veemência), esta Mansão de Baskerville era ocupada por Hugo, desta família, e é inegável que ele fosse um homem bárbaro, profano e materialista. Isso, em verdade, seus vizinhos poderiam ter perdoado, já que santos jamais vicejaram por estas plagas, mas havia nele um certo humor lascivo e cruel que tornou seu nome uma blasfêmia em todo o Ocidente. Quis o acaso que esse Hugo viesse a amar (se de fato uma paixão tão sombria pode receber um nome tão luminoso) a filha de um pequeno fazendeiro cujas terras ficavam próximas à propriedade de Baskerville. Mas a jovem donzela, sendo discreta e de boa reputação, sempre o evitava, pois temia seu nome maligno. Assim, aconteceu que num dia de São Miguel, esse Hugo, com cinco ou seis asseclas desocupados e perversos, invadiu a fazenda e raptou a donzela, cujo pai e irmãos estavam ausentes, como ele bem sabia. Depois de ser levada para a Mansão, a donzela foi segregada a um aposento no alto, enquanto Hugo e seus amigos promoviam uma longa pândega, como costumavam fazer todas as noites. Bem, a pobre moça no andar superior provavelmente teve seu juízo posto à prova pela cantoria, arruaça e pragas terríveis que vinham de baixo, porque dizia-se que as palavras usadas por Hugo Baskerville, quando ébrio, poderiam condenar a alma de quem as proferia à danação eterna. Finalmente, pressionada por seu medo, ela fez algo que poderia acovardar o mais bravo ou mais ágil dos homens, pois com a ajuda da hera que recobria (e ainda recobre) a face sul do palácio, desceu das calhas até o chão e seguiu através do pântano rumo à fazenda de seu pai, que distava três léguas da Mansão.

"Aconteceu que, pouco depois, Hugo deixou seus convivas para levar comida e bebida — e coisas piores, quiçá — para a sua prisioneira, e assim descobriu a gaiola aberta e a ave em fuga. Então, ao que parece, ele se tornou como um homem endemoniado, pois desabalando escada abaixo para o salão de jantar, saltou sobre a grande mesa, fazendo voar jarros e bandejas para todos os lados, e urrou diante de todos os presentes que naquela mesma noite entregaria seu corpo e sua alma aos Poderes do Mal, se apenas pudesse alcançar a moçoila. E enquanto os convivas quedavam-se estarrecidos diante da fúria do homem, um deles, mais perverso, ou talvez mais embriagado do que o resto, bradou que eles deveriam soltar os cães no seu encalço. Ao que Hugo se precipitou para fora, ordenando aos gritos que os cavalariços selassem sua égua e abrissem o canil, depois do que, apresentando aos cães um lenço da moça, açulou-os contra ela, vendo-os partir ladrando ao luar pântano afora.

"Então, por algum tempo, os convivas mantiveram-se boquiabertos, incapazes de entender tudo o que fora executado com tamanha celeridade. Mas incontinenti suas consciências aparvalhadas despertaram para a natureza do ato que estava prestes a ser cometido sobre o alagado. Tudo ficou, então, em polvorosa, alguns pedindo suas pistolas, outros, seus cavalos, outros ainda, mais uma garrafa de vinho. Mas, por fim, algum juízo regressou a suas mentes tresloucadas, e todos, treze no total, tomaram montarias e partiram em perseguição. A lua brilhava claramente acima deles, e o grupo galopava lado a lado, seguindo o rumo que a donzela deveria ter tomado, se quisesse chegar à sua casa.

"Eles haviam percorrido uma ou duas milhas quando passaram por um dos pastores noturnos daquelas terras alagadiças e lhe perguntaram aos brados se havia visto sua presa. E o homem, segundo diz a história, tão ensandecido estava pelo terror que mal conseguia falar, mas finalmente disse que vira, de fato, a infeliz donzela com os cães em seu encalço. 'Mas vi mais do que isso', ele disse, 'pois Hugo Baskerville passou por mim em sua égua preta, e atrás dele corria em silêncio um cão infernal tão horripilante, que Deus me livre de jamais ter um igual aos meus calcanhares.'

"Assim, os cavalheiros embriagados insultaram o pastor e seguiram em frente. Mas logo suas peles gelaram, porque ouviu-se um som de galope no pântano, e a égua preta, babando espuma branca, passou arrastando os arreios e com a sela vazia. Então os convivas cerraram fileiras, pois um grande temor os acometeu, mas continuaram pântano adentro, embora cada um, se estivesse só, teria de bom grado batido em retirada. Trotando devagar destarte, eles finalmente alcançaram os cães. Os animais, embora fossem conhecidos por seu valor e raça, ganiam agrupados perto da ponta de uma funda depressão ou *goyal*, como a chamamos, no terreno pantanoso, uns rastejando para longe e outros, de pelos eriçados e olhar esbugalhado, fitando o estreito vale diante deles.

"O bando de homens havia parado, já mais sóbrio, como podeis supor, do que quando partiu. A maioria não desejava avançar de modo algum, mas três deles, os mais corajosos, ou talvez os mais ébrios, trotaram para o fundo do *goyal*. Ele se abria num amplo espaço no qual se erguiam duas daquelas grandes pedras, que ainda podem ser vistas ali, colocadas por certos povos esquecidos na antiguidade. O brilho da lua era forte na clareira, e no meio dela jazia a infeliz donzela, onde caíra, morta de medo ou de exaustão. Mas não foi a visão de seu cadáver, tampouco daquele de Hugo Baskerville jazendo ao seu lado, o que pôs de pé os cabelos daqueles três destemidos baderneiros, mas sim ver, sobre o corpo de Hugo, mordendo sua garganta, uma coisa hedionda, uma enorme besta negra, semelhante a um cão, porém maior do que qualquer cão que olhos mortais já viram. E enquanto eles olhavam, a coisa dilacerou o pescoço de Hugo Baskerville, ao que, voltando ela seus olhos flamejantes e sua bocarra ensanguentada na direção dos três, estes gritaram de medo e desabalaram a correr, ainda aos berros, pelo pântano. Um deles, segundo dizem, morreu naquela mesma noite, fulminado pelo que vira, e os outros dois continuaram meros farrapos humanos pelo resto dos seus dias.

"Essa é a história, meus filhos, da chegada do cão que, segundo dizem, assola a família tão dolorosamente desde então. Se a escrevo, é porque aquilo que se conhece claramente causa menos terror do que algo que apenas se insinua ou se supõe. Tampouco se pode negar que muitos membros da família tiveram mortes infelizes, que foram repentinas, sangrentas e misteriosas. No entanto, que possamos nos abrigar na infinita bondade da Providência, que não puniria para sempre os inocentes além da terceira ou quarta geração, conforme ameaçam as Sagradas Escrituras. A essa Providência, meus filhos, agora vos recomendo, e aconselho-vos, por medida de cautela, a jamais atravessarem o pântano naquelas horas tenebrosas em que os poderes do mal estão exaltados.

"(De Hugo Baskerville para seus filhos Rodger e John, com instruções para que nada disso digam à sua irmã, Elizabeth.)"

Quando o Dr. Mortimer terminou de ler essa narrativa singular, ergueu os óculos para a testa e olhou para o Sr. Sherlock Holmes. Este último bocejou e jogou o toco de seu cigarro no fogo.

— E então? — ele disse.

— Não acha isso interessante?

— Para um colecionador de contos de fada.

O Dr. Mortimer puxou um jornal dobrado do bolso.

— Bem, Sr. Holmes, vamos lhe dar algo um pouco mais recente. Este é o *Devon County Chronicle* de 14 de junho do corrente. É um breve relato dos fatos revelados quando da morte de Sir Charles Baskerville, que aconteceu alguns dias antes daquela data.

Meu amigo debruçou-se um pouco para a frente e sua expressão ficou atenta. Nosso visitante ajeitou os óculos e começou:

— A recente e repentina morte de Sir Charles Baskerville, cujo nome foi mencionado como o provável candidato liberal para Mid-Devon na próxima eleição, lançou uma sombra sobre o país. Embora Sir Charles tenha residido em Baskerville Hall por um período comparativamente curto, a amabilidade do seu caráter e sua extrema generosidade conquistaram o afeto e o respeito de todos os que entraram em contato com ele. Nestes dias de *nouveaux riches**, é revigorante testemunhar um caso no qual o herdeiro de uma antiga família local que passou por dias difíceis é capaz de fazer fortuna por si mesmo e trazê-la consigo para restaurar a grandeza em declínio de sua linhagem. Sir Charles, como bem se sabe, faturou vultosas quantias na especulação sul-africana. Mais sábio do que aqueles que persistem até que a roda da fortuna se volta contra eles, Sir Charles transformou seu lucro em moeda sonante e voltou para a Inglaterra com ele. Passaram-se apenas dois anos desde que ele estabeleceu residência em Baskerville Hall, e fala-se muito de quão grandiosos eram os planos de reconstrução e melhoria que foram interrompidos por sua morte. Por não ter filhos, era seu desejo manifestado abertamente que toda a zona rural devesse, com ele ainda em vida, se beneficiar de sua fortuna, e muitos têm motivos pessoais para lamentar seu fim intempestivo. Suas generosas doações a entidades beneficentes locais e regionais foram frequentemente relatadas nestas páginas.

"Não se pode dizer que as circunstâncias ligadas à morte de Sir Charles tenham sido completamente esclarecidas pelo inquérito, mas ao menos sabe-se o suficiente para eliminar aqueles rumores que a superstição local fez surgir. Não há motivo algum para se suspeitar de um crime ou imaginar que essa morte pudesse ter quaisquer causas não naturais. Sir Charles era viúvo, e um homem do qual se podia dizer que

---

*Novo-rico. Em francês no original. (N.T.)

tinha, sob certos aspectos, uma mente excêntrica. Apesar de sua considerável riqueza, seus gostos pessoais eram simples, e sua criadagem doméstica em Baskerville Hall consistia num casal de nome Barrymore, o marido fazendo as funções de mordomo e a esposa, de governanta. O testemunho dos dois, corroborado pelo de vários amigos, tende a revelar que a saúde de Sir Charles estava havia algum tempo prejudicada e aponta especialmente para algum mal do coração, que se manifestava em mudanças de cor, falta de ar e ataques agudos de depressão nervosa. O Dr. James Mortimer, amigo e médico responsável pelo falecido, confirmou essas informações em seu depoimento.

"Os fatos do caso são simples. Sir Charles Baskerville tinha o hábito de caminhar toda noite, antes de se deitar, pela famosa Alameda dos Teixos de Baskerville Hall. O testemunho dos Barrymore revela que ele tinha esse costume. Em 4 de junho, Sir Charles declarou sua intenção de partir no dia seguinte para Londres e mandou que Barrymore preparasse sua bagagem. Naquela noite, ele saiu, como de costume, para sua caminhada noturna, durante a qual tinha o hábito de fumar um charuto. Ele nunca mais voltou. À meia-noite, Barrymore, encontrando a porta da casa ainda aberta, ficou alarmado e, acendendo uma lanterna, saiu à procura de seu patrão. O dia fora úmido, e as pegadas de Sir Charles eram facilmente visíveis na alameda. A meio caminho daquele trajeto há uma cancela que dá para o pântano. Havia indicações de que Sir Charles permanecera ali por um breve intervalo. Ele então seguiu pela alameda, e foi na outra extremidade dela que seu cadáver foi descoberto. Um fato que não foi explicado é a declaração de Barrymore de que as pegadas de seu patrão mudaram de formato depois que ele passou pela cancela do pântano, e que aparentemente, dali em diante, ele andou na ponta dos pés. Um tal de Murphy, cigano criador de cavalos, estava no pântano, a pouca distância, naquele momento, mas ele próprio confessou estar embriagado na ocasião. Ele declara ter ouvido gritos, mas é incapaz de determinar de que direção vieram. Nenhum sinal de violência foi descoberto no corpo de Sir Charles, e embora o depoimento do médico indique uma distorção quase inacreditável das feições — de tal feita que o Dr. Mortimer se recusou, de início, a acreditar que tinha de fato seu amigo e paciente diante de si —, foi explicado que ela é um sintoma nada incomum em casos de dispneia e morte por exaustão cardíaca. Essa explicação foi apresentada no exame *post-mortem*, que mostrou doenças orgânicas crônicas, e o júri da autópsia deu seu veredicto de acordo com as evidências médicas. Ainda bem que foi assim, pois obviamente é da maior importância que o herdeiro de Sir Charles se estabeleça na Mansão e continue o bom trabalho que foi tão tristemente interrompido. Se o achado prosaico do legista não tivesse finalmente posto fim às histórias românticas que têm sido sussurradas em relação ao caso, talvez fosse difícil encontrar um ocupante para

Baskerville Hall. Sabe-se que o parente mais próximo é Sir Henry Baskerville, se ele ainda estiver vivo, filho do irmão mais novo de Sir Charles Baskerville. A última informação sobre o jovem dá conta de que ele estava na América, e foi iniciada uma busca para informá-lo de seu golpe de sorte."

O Dr. Mortimer voltou a dobrar o jornal e o enfiou novamente no bolso.

— Esses são os fatos públicos, Sr. Holmes, relacionados à morte de Sir Charles Baskerville.

— Devo lhe agradecer — disse Sherlock Holmes — por chamar minha atenção para um caso que certamente apresenta algumas características interessantes. Observei alguns comentários nos jornais, na época, mas estava ocupado sobremaneira com aquele pequeno caso dos camafeus do Vaticano, e em minha ansiedade para contentar o Papa, perdi contato com vários casos ingleses interessantes. Esse artigo, o senhor diz, contém todos os fatos públicos?

— Sim.

— Então apresente os fatos privados. — Ele se acomodou, uniu as pontas dos dedos e assumiu sua expressão mais impassível e judiciosa.

— Ao fazer isso — disse o Dr. Mortimer, que começara a mostrar sinais de forte emoção —, estarei revelando aquilo que não confidenciei a ninguém. Meu motivo para esconder isso do inquérito do legista é que um homem de ciência evita vir a público numa posição que parece endossar uma superstição popular. Eu tinha o motivo ulterior de que Baskerville Hall, como o jornal diz, certamente ficaria desocupada se algo piorasse ainda mais sua já sombria reputação. Por esses dois motivos, achei justificado revelar um pouco menos do que eu sabia, já que nenhum bem prático poderia resultar disso, mas com os senhores não existe motivo para que eu não seja completamente franco.

"O pântano é muito pouco habitado, e aqueles que moram perto uns dos outros acabam se unindo muito. Por isso, eu via Sir Charles Baskerville com frequência. Com a exceção do Sr. Frankland, de Lafter Hall, e do Sr. Stapleton, o naturalista, não há nenhum outro homem culto num raio de muitos quilômetros. Sir Charles era reservado, mas o acaso de sua doença nos aproximou, e uma comunhão de interesses científicos nos manteve próximos. Ele trouxera muitas informações científicas da África do Sul, e várias noites encantadoras passamos a discutir a anatomia comparada de boxímanes e hotentotes.

"Durante os poucos meses seguintes, ficou cada vez mais claro, para mim, que o sistema nervoso de Sir Charles estava próximo do ponto de ruptura. Ele levava a lenda que acabei de ler excessivamente a sério — a tal ponto que, embora aceitasse caminhar em sua propriedade, nada poderia induzi-lo a sair para o pântano à noite. Por mais incrível que lhe possa parecer, Sr. Holmes, ele estava honestamente convencido de que um destino pavoroso ameaçava a sua família, e certamente os relatos que ele podia apresentar de seus ancestrais não eram nada encorajadores. A ideia de alguma presença horripilante o assombrava constantemente, e em mais de uma ocasião ele me perguntou se, durante minhas incursões médicas à noite, alguma vez eu vira alguma estranha criatura ou ouvira o ladrar de um cão. Essa última pergunta ele me fez várias vezes, e sempre com a voz vibrando de emoção.

"Lembro bem uma viagem de charrete até sua casa, à noite, umas três semanas antes do acontecimento fatal. Por acaso, ele estava à porta de entrada. Eu descera do meu veículo e estava diante dele, quando vi seus olhos se fixarem por cima do meu ombro e olharem além de mim com uma expressão do horror mais pavoroso. Eu me virei imediatamente e só tive tempo de vislumbrar algo que tomei por um grande bezerro preto passando diante da entrada do terreno. Tão transtornado e alarmado ele ficou que me vi obrigado a ir até o local onde o animal estivera e procurá-lo. Ele se fora, porém, e o incidente pareceu produzir a pior impressão possível sobre a mente de Sir Charles. Fiquei junto dele a noite toda, e foi nessa ocasião, para explicar a emoção que demonstrara, que ele confiou aos meus cuidados a narrativa que li ao chegar. Menciono esse simples episódio porque ele assume certa importância em vista da tragédia que a ele se seguiu, mas eu estava convencido, na época, de que a questão era totalmente trivial e, de que a agitação não tinha justificativa.

"Era aconselhado por mim que Sir Charles devia viajar para Londres. Seu coração estava, eu sabia, debilitado, e a ansiedade constante na qual ele vivia, por mais quimérica que pudesse ser sua causa, estava evidentemente exercendo um grave efeito sobre sua saúde. Eu achava que alguns meses em meio às distrações da cidade grande fariam dele um novo homem. O Sr. Stapleton, um amigo comum que estava muito preocupado com o estado de saúde de Sir Charles, tinha a mesma opinião. No último momento, sobreveio esta terrível catástrofe.

"Na noite da morte de Sir Charles, Barrymore, o mordomo, que descobriu o corpo, mandou Perkins, o pajem, me chamar a cavalo, e como eu ficara acordado até tarde, pude chegar a Baskerville Hall menos de uma hora depois do ocorrido. Eu verifiquei e corroborei todos os fatos que foram mencionados no inquérito. Segui as pegadas pela Alameda dos Teixos, vi o lugar perto da cancela onde ele pareceu esperar, constatei a mudança no formato das pegadas depois daquele ponto, notei que não havia outras pegadas além das deixadas por Barrymore na brita úmida, e por fim examinei meticulosamente o corpo, que não havia sido tocado até minha chegada. Sir Charles estava deitado de bruços, com os braços estendidos, os dedos afundados no chão e as feições contorcidas por alguma forte emoção, a tal ponto que eu mal conseguia certificar-me de sua identidade. Decerto que não havia ferimentos físicos de espécie alguma. Mas Barrymore deu uma declaração falsa no inquérito. Ele disse que não havia pegadas no chão ao redor do corpo. Ele não vira nenhuma. Mas eu vi — a alguma distância, mas recentes e claras."

— Pegadas?

— Pegadas.

— De homem ou de mulher?

O Dr. Mortimer nos olhou estranhamente por um instante e sua voz se reduziu quase a um sussurro ao responder:

— Sr. Holmes, eram as pegadas de um cão gigantesco!

três
O PROBLEMA

Confesso que, ao ouvir aquelas palavras, um calafrio atravessou o meu corpo. Havia uma exaltação na voz do médico que demonstrava que ele mesmo estava profundamente agitado por aquilo que nos contara. Holmes curvou-se para frente, empolgado, e seus olhos tinham o brilho duro e frio que emanavam quando ele estava particularmente interessado.

— O senhor viu isso?

— Tão claramente quanto vejo o senhor.

— E não disse nada?

— De que adiantaria?

— Como foi que ninguém mais viu?

— As pegadas estavam a uns vinte metros do corpo, e ninguém deu atenção a elas. Acho que eu mesmo não teria dado, se não conhecesse essa lenda.

— Há muitos cães pastores no pântano?

— Sem dúvida, mas aquele não era um cão pastor.
— O senhor disse que era grande?
— Enorme.
— Mas não se aproximou do corpo?
— Não.
— Como estava a noite?
— Úmida e fria.
— Mas não estava chovendo?
— Não.
— Como é a alameda?
— Ela tem duas fileiras de velhos teixos que a ladeiam, com três metros e meio de altura e impenetráveis. O passeio no centro tem aproximadamente dois metros e meio de largura.
— Há alguma coisa entre as cercas e o passeio?
— Sim, há uma faixa de grama de uns dois metros de largura de cada lado.
— Pelo que entendi, a cerca de teixos é interrompida num certo ponto por uma cancela.
— Sim, a cancela baixa que dá para o pântano.
— Há alguma outra abertura?
— Nenhuma.
— Então, para chegar à Alameda dos Teixos, é preciso vir da casa ou então passar pela cancela?
— Há uma saída através de um pavilhão na outra extremidade.
— Sir Charles chegou a ela?
— Não, jazia a uns cinquenta metros dela.

— Agora me diga, Dr. Mortimer, e isto é importante: as pegadas que o senhor viu estavam no passeio, e não na grama?

— Nenhuma pegada seria visível na grama.

— Estavam do mesmo lado da cancela?

— Sim, na borda do passeio, do mesmo lado da cancela.

— O senhor instiga o meu interesse. Mais uma coisa: a cancela estava fechada?

— Fechada com cadeado.

— Qual a altura dela?

— Pouco mais de um metro.

— Então qualquer um poderia passar por cima dela?

— Sim.

— E que pegadas o senhor viu perto da cancela?

— Nenhuma em particular.

— Pelos céus! Ninguém examinou?

— Sim, eu mesmo examinei.

— E não encontrou nada?

— Estava tudo muito confuso. Sir Charles evidentemente ficou ali por cinco ou dez minutos.

— Como sabe?

— Porque a cinza caíra duas vezes de seu charuto.

— Excelente! Ele é um colega, Watson, um dos nossos. Mas as pegadas?

— Ele deixara as próprias pegadas para todo lado naquela pequena extensão de brita. Não pude discernir nenhuma outra.

Sherlock Holmes bateu a mão no joelho, num gesto de impaciência.

— Se apenas eu tivesse estado lá! — exclamou. — Evidentemente, este é um caso de interesse extraordinário, que apresenta imensas oportunidades para um especialista científico. Aquela página de brita na qual eu poderia ter lido tanta coisa já foi há tempo rasurada pela chuva e desfigurada pelos tamancos de camponeses curiosos. Oh, Dr. Mortimer, Dr. Mortimer, e pensar que o senhor não me chamou! Tem realmente muita culpa nisso.

— Eu não poderia chamá-lo, Sr. Holmes, sem revelar esses fatos para o mundo, e já apresentei meus motivos para não querer fazê-lo. Além disso, além disso...

— Por que hesita?

— Existe um plano no qual o mais arguto e experiente dos detetives é impotente.

— Quer dizer que a coisa é sobrenatural?

— Não afirmei positivamente isso.

— Não, mas é evidente que pensa assim.

— Desde a tragédia, Sr. Holmes, chegaram aos meus ouvidos vários incidentes difíceis de reconciliar com a ordem estabelecida da natureza.

— Por exemplo?

— Descobri que, antes do terrível acontecimento, várias pessoas viram uma criatura no pântano que corresponde a esse demônio dos Baskerville, e que não poderia

O PROBLEMA

ser nenhum animal conhecido pela ciência. Todos concordaram que era uma criatura imensa, luminosa, assustadora e espectral. Eu interroguei esses homens, um deles é um pragmático lavrador, outro, um ferreiro, e outro, um fazendeiro dos pântanos, os três contando a mesma história dessa pavorosa aparição, correspondendo exatamente ao cão infernal da lenda. Garanto que existe um reino do terror na região, e só um homem muito destemido atravessaria o pântano à noite.

— E o senhor, um homem formado na ciência, acredita que seja sobrenatural?

— Eu não sei no que acreditar.

Holmes deu de ombros.

— Até agora, limitei minhas investigações a este mundo — ele disse. — De forma modesta, combati o mal, mas enfrentar o Príncipe do Mal em pessoa seria, talvez, uma tarefa por demais ambiciosa. No entanto, o senhor precisa admitir que a pegada é material.

— O cão original era material o suficiente para dilacerar o pescoço de um homem e, mesmo assim, também era diabólico.

— Vejo que o senhor se bandeou para o lado dos sobrenaturalistas. Mas agora, Dr. Mortimer, me diga: se essa é a sua opinião, por que veio me consultar? O senhor me diz, na mesma frase, que é inútil investigar a morte de Sir Charles e que deseja que eu o faça.

— Eu não disse que desejava que o senhor o fizesse.

— Então, como posso assisti-lo?

— Aconselhando-me sobre o que fazer com Sir Henry Baskerville, que chega à Estação de Waterloo — o Dr. Mortimer consultou o seu relógio — exatamente daqui a uma hora e quinze minutos.

— E ele é o herdeiro?

— Sim. Na ocasião da morte de Sir Charles, procuramos por esse jovem cavalheiro e descobrimos que ele era fazendeiro no Canadá. De acordo com os relatos que nos chegaram, é um excelente sujeito, sob todos os aspectos. Agora não falo como médico, mas como fiel depositário e executor do testamento de Sir Charles.

— Não há nenhum outro postulante, presumo?

— Nenhum. Além de Sir Henry, o único parente que conseguimos localizar foi Rodger Baskerville, o mais jovem dos três irmãos, dos quais Sir Charles era o mais velho. O irmão do meio, que morreu jovem, é o pai desse rapaz, Henry. O mais novo, Rodger, era a ovelha negra da família. Ele veio da antiga linhagem autoritária de Baskerville e era a própria imagem, segundo me contaram, do retrato de família do velho Hugo. Tornou-se *persona non grata* na Inglaterra, fugiu para a América Central, e morreu por ali em 1876, de febre amarela. Henry é o último dos Baskerville. Daqui a uma hora e cinco minutos, vou encontrá-lo na Estação de Waterloo. Recebi um telegrama avisando que ele chegou em Southampton hoje de manhã. Então, Sr. Holmes, o que me aconselha a fazer com ele?

O PROBLEMA

— Por que ele não vai para o lar de seus ancestrais?

— Pareceria natural, não? No entanto, considere que todo Baskerville que vai para lá encontra uma morte trágica. Tenho certeza de que, se Sir Charles pudesse ter falado comigo antes de sua morte, ter-me-ia desaconselhado a levar esse rapaz, o último da antiga dinastia, e o herdeiro de uma grande fortuna, para aquele lugar mortífero. No entanto, não se pode negar que a prosperidade de toda a pobre e esquálida zona rural depende de sua presença. Todo o bom trabalho que foi feito por Sir Charles desmoronará se não houver um ocupante em Baskerville Hall. Receio ser influenciado demais pelos meus próprios interesses óbvios na questão, e é por isso que lhe apresento o caso e peço seu conselho.

Holmes considerou isso por um breve momento.

— Em palavras simples, a questão é a seguinte — ele disse. — Na sua opinião, existe um agente diabólico que torna Dartmoor um lugar perigoso para um Baskerville. Essa é a sua opinião?

— No mínimo posso chegar ao extremo de dizer que há algumas evidências de que talvez seja assim.

— Exato. Mas certamente, se sua teoria sobrenatural estiver correta, o mal poderia ser causado ao jovem em Londres tão facilmente quanto em Devonshire. Um demônio com poderes meramente locais, como um cônego de paróquia, seria algo demasiado inconcebível.

— O senhor expõe a questão de forma mais irônica, Sr. Holmes, do que provavelmente faria se entrasse em contato direto com essas coisas. Seu parecer, então, pelo que entendi, é que o jovem estará tão a salvo em Devonshire quanto em Londres. Ele chega daqui a cinquenta minutos. O que recomenda?

— Eu recomendo, senhor, que tome uma carruagem, leve seu *spaniel*, que está arranhando a minha porta, e se dirija para Waterloo para encontrar Sir Henry Baskerville.

— E depois?

— E depois não dirá absolutamente nada a ele até que eu me decida sobre a questão.

— Quanto tempo levará para decidir?

— 24 horas. Às 10 horas de amanhã, Dr. Mortimer, ser-lhe-ei muito grato se vier me visitar, e ajudará meus planos para o futuro se trouxer Sir Henry Baskerville com o senhor.

— Farei isso, Sr. Holmes.

Ele rabiscou o compromisso no punho de sua camisa e saiu andando à sua maneira estranha, curiosa e distraída. Holmes o deteve quando ele ia descer a escada.

— Só mais uma pergunta, Dr. Mortimer. O senhor disse que, antes da morte de Sir Charles Baskerville, algumas pessoas viram essa aparição no pântano?

— Três pessoas viram.

— Alguém a viu depois?

— Não que eu ficasse sabendo.

O PROBLEMA

— Obrigado. Tenha um bom dia.

Holmes voltou para o seu lugar com aquele ar discreto de satisfação interior que significava que uma tarefa agradável o aguardava.

— Vai sair, Watson?

— A menos que eu possa ser-lhe útil.

— Não, meu caro colega, é na hora da ação que recorro à sua ajuda. Mas isto é esplêndido, realmente único, sob alguns aspectos. Quando você passar pela Tabacaria Bradley's, pode pedir que me mandem meio quilo do tabaco mais forte? Obrigado. Também seria bom, se for conveniente, que você não voltasse antes do anoitecer. Então ficarei feliz em comparar impressões sobre este problema tão interessante que nos foi submetido nesta manhã.

Eu sabia que o isolamento e a solidão eram muito necessários para o meu amigo naquelas horas de intensa concentração mental durante as quais ele ponderava cada fragmento de evidência, alinhavava teorias alternativas, comparava uma com a outra e decidia que detalhes eram essenciais e que outros eram insignificantes. Por isso, passei o dia no meu clube e não voltei para a Baker Street até o anoitecer. Eram quase 21 horas quando me vi novamente na sala de estar.

Minha primeira impressão, ao abrir a porta, foi que havia um incêndio, pois a sala estava tão cheia de fumaça que a luz da lâmpada sobre a mesa era quase obliterada por ela. Quando entrei, todavia, meus temores se aplacaram, porque foram os eflúvios acres de um tabaco forte e grosseiro que me apertaram a garganta e me fizeram tossir. Em meio à névoa, eu via vagamente Holmes metido em seu roupão, encolhido numa poltrona, com seu cachimbo de argila preta nos lábios. Vários rolos de papel jaziam ao seu redor.

— Ficou resfriado, Watson? — ele disse.

— Não, é esta atmosfera venenosa.

— Acho que *está* mesmo bem espessa, agora que você mencionou.

— Espessa? Está intolerável.

— Abra a janela, então! Você esteve no seu clube o dia todo, percebo.

— Meu caro Holmes!

— Acertei?

— Claro, mas como...?

Ele riu da minha expressão perplexa.

— Há um frescor delicioso em você, Watson, que torna um prazer o exercício de quaisquer modestos poderes que possuo às suas custas. Um cavalheiro sai num dia chuvoso e barrento. Ele volta imaculado à noitinha, com o chapéu e os sapatos ainda brilhando. Portanto, esteve imóvel o dia todo. Ele não tem amigos íntimos. Onde, então, poderia ter ficado? Não é óbvio?

— Bem, é um tanto óbvio, sim.

— O mundo está cheio de coisas óbvias que ninguém em hipótese alguma observa. Onde você acha que eu estive?

— Também imóvel.

— Pelo contrário, estive em Devonshire.

— Em espírito?

— Exato. Meu corpo permaneceu nesta poltrona e consumiu, lamento observar, dois grandes bules de café e uma quantidade incrível de tabaco na minha ausência. Depois que você saiu, pedi na Stanford's o mapa tático desta parte do pântano, e meu espírito pairou sobre ela o dia todo. Tenho a pretensão de dizer que seria capaz de me orientar por lá.

— Um mapa de grande escala, presumo?

— Muito grande. — Ele desenrolou uma parte e a segurou sobre o joelho. — Aqui você tem a região específica que nos interessa. Esta no meio é Baskerville Hall.

— Com uma floresta ao redor?

— Exato. Imagino que a Alameda dos Teixos, embora não esteja marcada com esse nome, deva se estender por esta linha, com o pântano, como pode perceber, à sua direita. Este pequeno amontoado de edifícios aqui é a aldeia de Grimpen, onde nosso amigo Dr. Mortimer tem o seu quartel-general. Num raio de oito quilômetros há, como vê, somente algumas poucas moradias espalhadas. Aqui está Lafter Hall, que foi mencionada na narrativa. Há uma casa indicada aqui que deve ser a residência do naturalista; Stapleton, se bem me lembro, é o nome dele. Aqui estão duas casas de fazenda no pântano, High Tor e Foulmire. Então, a 22 quilômetros, fica o grande presídio de Princetown. Em meio e ao redor destes pontos distantes se estende o pântano desolado e sem vida. Este, então, é o palco onde se desenrolou a tragédia e sobre o qual poderemos ajudar a encená-la de novo.

— Deve ser um lugar selvagem.

— Sim, o cenário é digno do drama. Se o demônio desejasse mesmo se meter nos assuntos dos homens...

— Então você também está pendendo para a explicação sobrenatural.

— Os agentes do demônio podem ser de carne e osso, não podem? Há duas perguntas nos esperando já de saída. Uma é se algum crime realmente foi cometido; a outra é: qual é o crime e como ele foi cometido? Claro que, se a suposição do Dr. Mortimer estiver correta, e estivermos lidando com forças alheias às leis comuns da natureza, nossa investigação acabará aí. Mas somos obrigados a esgotar todas as outras hipóteses antes de recorrer a essa. Acho que vamos fechar novamente essa janela, se não se importa. É algo singular, mas acho que uma atmosfera concentrada ajuda a concentração do pensamento. Não cheguei ao extremo de me meter dentro de uma caixa para pensar, mas esse é o resultado lógico das minhas convicções. Você revirou o caso em sua mente?

— Sim, pensei muito nele durante o dia.

— E o que acha?

— É muito intrigante.

— Certamente tem características singulares. Tem detalhes que lhe dão distinção. Aquela mudança nas pegadas, por exemplo. O que achou daquilo?

O PROBLEMA

— Mortimer disse que o homem andou na ponta dos pés o resto da alameda.

— Ele apenas repetiu o que algum tolo disse no inquérito. Por que um homem andaria na ponta dos pés numa alameda?

— O que aconteceu, então?

— Ele estava correndo, Watson — correndo desesperadamente, para salvar sua vida, correndo até que seu coração rebentou e ele desabou morto no chão.

— Correndo do quê?

— Esse é o nosso problema. Há indícios de que o homem estava louco de medo antes mesmo de começar a correr.

— Como pode dizer isso?

— Estou presumindo que a causa do seu medo chegou até ele vindo do pântano. Nesse caso, que parece muito provável, somente um homem que tivesse perdido o juízo correria para *longe* de casa, e não na direção dela. Se o relato do cigano puder ser aceito como verdadeiro, ele correu gritando por ajuda na direção de onde seria menos provável que a ajuda pudesse vir. Além disso, quem ele estava aguardando naquela noite, e por que aguardava na Alameda dos Teixos e não em sua própria casa?

— Você acha que ele estava aguardando alguém?

— O homem era idoso e enfermo. Podemos entender que saísse para uma caminhada noturna, mas o chão estava úmido e a noite era inclemente. Seria natural ele ter parado por cinco ou dez minutos, como o Dr. Mortimer, com mais senso prático do que eu julgava que ele tivesse, deduziu pela cinza do charuto?

— Mas ele saía toda noite.

— Acho improvável que ele esperasse perto da cancela toda noite. Ao contrário, evidências mostram que ele evitava o pântano. Naquela noite, ele esperou ali. Era a véspera de sua partida para Londres. A coisa toma forma, Watson. Torna-se coerente. Posso pedir que me passe meu violino? Vamos adiar qualquer ulterior reflexão sobre este caso até sermos beneficiados pelo encontro com o Dr. Mortimer e Sir Henry Baskerville amanhã.

quatro
SIR HENRY BASKERVILLE

A mesa do nosso desjejum foi limpa cedo, e Holmes esperou, de roupão, pela entrevista prometida. Nossos clientes foram pontuais com o compromisso, pois o relógio acabara de bater as dez quando o Dr. Mortimer foi anunciado e subiu, seguido pelo jovem baronete. Este último era um homem pequeno, alerta, de olhos escuros, uns 30 anos de idade, compleição muito robusta, com grossas sobrancelhas negras e um rosto forte e beligerante. Usava um terno de *tweed* avermelhado e tinha a aparência castigada pelas intempéries de alguém que passava a maior parte de seu tempo ao ar livre; no entanto, havia algo em seu olhar firme e na segurança discreta de seu porte que indicava um cavalheiro.

— Este é Sir Henry Baskerville — disse o Dr. Mortimer.

— Sim — disse ele —, e o mais estranho, Sr. Sherlock Holmes, é que se meu amigo não tivesse sugerido vir aqui esta manhã, eu teria procurado o senhor por conta própria. Pelo que sei, o senhor resolve pequenos quebra-cabeças, e hoje lhe trago um que requer mais reflexão do que sou capaz de exercer.

— Por favor, sente-se, Sir Henry. Devo entender que o senhor mesmo teve alguma experiência peculiar desde que chegou em Londres?

— Nada muito importante, Sr. Holmes. Só uma brincadeira, provavelmente. É esta carta, se pode-se chamar isso de carta, que me chegou esta manhã.

Ele deixou um envelope sobre a mesa, e todos nos curvamos sobre ele. Era de qualidade comum, de cor cinza. O endereço, "Sir Henry Baskerville, Hotel Northumberland", estava escrito em letra de forma irregular; o carimbo era de Charing Cross, e a data de postagem, a noite anterior.

— Quem sabia que o senhor se hospedaria no Hotel Northumberland? — perguntou Holmes, olhando atentamente para nosso visitante.

— Ninguém poderia saber. Só decidimos isso depois que encontrei o Dr. Mortimer.

— Mas o Dr. Mortimer, sem dúvida, já ia se hospedar lá?

— Não, estou na casa de um amigo — disse o doutor. — Não havia nenhuma indicação possível de que eu pretendia ir para esse hotel.

— Hum! Alguém parece profundamente interessado nos seus deslocamentos. — Do envelope, ele tirou meia folha de papel ofício dobrada em quatro. Esta ele abriu e alisou sobre a mesa. No meio dela, uma única frase fora formada pelo expediente de colar palavras impressas. Ela dizia: "Se dá valor à sua vida ou seu juízo, fique longe do pântano." Somente a palavra "pântano" fora escrita a nanquim, em letra de forma.

— Bem — disse Sir Henry Baskerville —, talvez possa me explicar, Sr. Holmes, qual, com mil trovões, o significado disso e quem é que se interessa tanto pelos meus negócios?

— O que acha disto, Dr. Mortimer? O senhor há de convir que não há nada de sobrenatural nisto, pelo menos?

— Não, senhor, mas pode muito bem vir de alguém que está convencido de que a questão é sobrenatural.

— Que questão? — perguntou Sir Henry secamente. — Parece-me que os senhores sabem muito mais do que eu sobre meus próprios negócios.

— O senhor partilhará do nosso conhecimento antes de sair desta sala, Sir Henry, prometo — disse Sherlock Holmes. — No momento, vamos nos limitar, com sua permissão, a este mui interessante documento, que deve ter sido composto e enviado na noite de ontem. Tem o *Times* de ontem, Watson?

— Está ali no canto.

— Pode fazer a gentileza... a segunda página, por favor, com os editoriais? — Ele examinou rapidamente a folha, correndo os olhos para cima e para baixo pelas colunas. — Belo artigo este, sobre o Livre Comércio. Permitam-me ler um trecho dele. "Se ainda há quem imagine que seu ofício em particular, ou sua atividade industrial, possam ser estimulados por medidas fiscais protecionistas, pessoas de melhor juízo sabem que tais medidas fazem, a longo prazo, com que a riqueza fique longe do país, o valor de nossos aportes diminua e as condições gerais de vida nesta ilha piorem." O que acha disso, Watson? — exclamou Holmes em júbilo, esfregando as mãos de satisfação. — Não concorda que é uma opinião admirável?

O Dr. Mortimer olhou para Holmes com um ar de interesse profissional, e Sir Henry Baskerville me encarou com perplexidade em seus olhos escuros.

— Não entendo muito de impostos e coisas desse tipo — ele disse —, mas me parece que saímos um pouco da pista com a leitura desse texto.

— Pelo contrário, eu acho que estamos mais do que nunca na pista certa, Sir Henry. Watson aqui conhece meus métodos melhor do que o senhor, mas temo que até ele não tenha entendido completamente a importância deste parágrafo.

— Não, confesso que não vejo nenhuma ligação.

— No entanto, meu caro Watson, a ligação é tão próxima que uma coisa foi extraída da outra. "Se", "sua", "seu", "vida", "juízo", "valor", "fique longe do". Não vê agora de onde essas palavras foram tiradas?

— Com mil trovões, tem razão! Ora, se isso não é muita esperteza! — exclamou Sir Henry.

— Se ainda restava alguma dúvida, a confirmação está no fato de que as palavras "fique longe do" estão todas num só fragmento.

— Ora, pois... é isso mesmo!

— Realmente, Sr. Holmes, isso vai além de qualquer coisa que eu pudesse ter imaginado — disse o Dr. Mortimer, olhando assombrado para o meu amigo. — Posso entender que alguém concluísse que as palavras vieram de um jornal, mas o senhor ser capaz de dizer qual, e que foram recortadas do editorial, é realmente uma das coisas mais formidáveis que já vi. Como conseguiu?

— Presumo, doutor, que o senhor poderia diferenciar o crânio de um negro daquele de um esquimó?

— Com toda a certeza.

— Mas como?

— Porque esse é meu passatempo especial. As diferenças são óbvias. A crista supraorbital, o ângulo facial, a curva do maxilar, o...

— Bem, esse é meu passatempo especial, e as diferenças são igualmente óbvias. Aos meus olhos, o tipo plúmbeo e urbano de um artigo do *Times* é tão diferente da impressão descuidada de um pasquim vespertino quanto o seu negro difere do seu esquimó. A detecção de caracteres tipográficos é um dos ramos de conhecimento mais elementares para o criminalista especializado, embora confesso que uma vez, quando era muito jovem, confundi o *Leeds Mercury* com o *Western Morning News*. Mas um editorial do *Times* é totalmente distinto, e essas palavras não poderiam ter sido retiradas de outro texto.

Como isso foi feito ontem, era bem provável que encontraríamos as palavras no exemplar de ontem.

— Até onde consigo acompanhar seu raciocínio, então, Sr. Holmes — disse Sir Henry Baskerville —, alguém recortou essa mensagem com uma tesoura.

— Uma tesourinha de unha — disse Holmes. — Pode ver que as lâminas eram muito curtas, pois o autor teve que fechá-la duas vezes para recortar "fique longe do".

— De fato. Alguém, então, recortou a mensagem com uma tesoura de lâminas curtas, montou-a com cola...

— Goma-arábica — disse Holmes.

— Com goma-arábica no papel. Mas quero saber, por que a palavra "pântano" foi escrita à mão?

— Porque ele não a encontrou impressa. As outras palavras eram todas simples e poderiam ser encontradas em qualquer exemplar, mas "pântano" é menos comum.

— Ora, é claro, a explicação é essa. Notou mais alguma coisa nessa mensagem, Sr. Holmes?

— Há uma ou duas indicações; no entanto, cuidados extremos foram tomados para remover quaisquer pistas. O endereço, como pode observar, foi escrito em letra de forma irregular. Mas *The Times* é um jornal raramente encontrado em outras mãos que aquelas de pessoas estudadas. Podemos presumir, portanto, que a carta foi composta por um homem estudado que queria se passar por alguém sem estudos, e seu esforço para disfarçar a própria caligrafia sugere que esta poderia ser conhecida, ou vir a ser conhecida, pelo senhor. Mais uma vez, pode observar que as palavras não foram coladas alinhadas, e sim umas mais altas do que as outras. "Vida", por exemplo, está muito fora do lugar. Isso pode indicar descuido ou então agitação e pressa de quem as recortou. De maneira geral, sou parcial à segunda hipótese, já que o assunto era evidentemente importante, e seria improvável que o autor de tal missiva fosse descuidado. Se ele estava com pressa, isso abre a interessante questão do motivo de sua pressa, já que qualquer correspondência enviada até a madrugada alcançaria Sir Henry antes que ele deixasse o hotel. O autor temia ser interrompido? E por quem?

— Agora estamos entrando um tanto no reino da adivinhação — disse o Dr. Mortimer.

— O senhor quer dizer um tanto no reino onde ponderamos possibilidades e escolhemos a mais provável. Esse é o uso científico da imaginação, mas sempre temos alguma base material sobre a qual iniciar nossa especulação. Bem, o senhor chamaria isso de adivinhação, sem dúvida, mas tenho quase certeza de que este endereço foi escrito num hotel.

— Como o senhor poderia saber?

— Se examiná-lo cuidadosamente, verá que tanto a pena como o tinteiro deram trabalho ao remetente. A pena borrou duas vezes uma só palavra e ficou seca três vezes num curto endereço, mostrando que o tinteiro estava quase vazio. Ora, uma pena e um tinteiro particulares raramente são deixados em tal condição, e a combinação das duas deficiências deve ser assaz rara. Mas o senhor conhece os tinteiros e as penas dos hotéis, onde raramente conseguimos coisa melhor do que isso. Sim, hesito bem pouco em dizer que, se pudéssemos examinar os cestos de lixo dos hotéis da região de Charing Cross até encontrarmos os restos do editorial mutilado do *Times*, deitaríamos as mãos de imediato na pessoa que enviou esta peculiar mensagem. Ora! Ora! O que é isto?

Ele estava examinando cuidadosamente o papel ofício sobre o qual as palavras haviam sido coladas, segurando-o a poucos centímetros dos olhos.

— E então?

— Nada — ele disse, jogando-o sobre a mesa. — É meia folha de papel em branco, sem nem uma marca-d'água. Acho que descobrimos tudo o que podíamos desta curiosa carta; e agora, Sir Henry, mais alguma coisa interessante aconteceu com o senhor desde que chegou em Londres?

— Ora, não, Sr. Holmes. Acho que não.

— Não observou alguém seguindo-o ou vigiando-o?

— Parece que entrei bem no meio da trama de um folhetim — disse nosso visitante. — Por que, com mil trovões, alguém me seguiria ou me vigiaria?

— Já vamos chegar a isso. Não tem mais nada a nos relatar antes de abordarmos esse assunto?

— Bem, depende do que o senhor acha digno de ser relatado.

— Acho qualquer coisa fora da rotina normal da vida muito digna de ser relatada.

Sir Henry sorriu.

— Ainda não conheço bem o estilo de vida britânico, pois passei quase toda a vida nos Estados Unidos e no Canadá. Mas espero que perder uma bota não faça parte da rotina normal da vida por aqui.

— O senhor perdeu uma bota?

— Meu caro — exclamou o Dr. Mortimer —, o senhor só não sabe onde ela está. Vai encontrá-la quando voltar ao hotel. De que adianta perturbar o Sr. Holmes com banalidades assim?

— Ora, ele perguntou sobre qualquer coisa fora da rotina normal.

— Exato — disse Holmes —, por mais tolo que o incidente possa parecer. O senhor disse que perdeu uma de suas botas?

— Bem, ela desapareceu, pelo menos. Coloquei o par fora da minha porta ontem à noite e só havia uma delas de manhã. Não consegui obter nenhuma explicação do camarada que as limpa. O pior é que eu havia acabado de comprar aquele par na noite passada na Strand, e nunca as havia usado.

— Se nunca as havia usado, por que as deixou para serem limpas?

— Eram de couro rústico e ainda não haviam sido engraxadas. Por isso as deixei.

— Então, se bem entendi, ao chegar em Londres ontem, o senhor saiu imediatamente e comprou um par de botas?

— Fiz muitas compras. O Dr. Mortimer aqui me acompanhou. Veja bem, se vou ser o proprietário da mansão, preciso vestir-me adequadamente, e talvez eu tenha me descuidado um pouco no Oeste. Entre outras coisas, comprei essas botas marrons, paguei seis dólares pelo par, e uma delas me foi roubada antes que eu as calçasse pela primeira vez.

— Parece algo bem inútil de se roubar — disse Sherlock Holmes. — Confesso que compartilho a opinião do Dr. Mortimer de que não vai demorar até que encontre a bota perdida.

— E agora, cavalheiros — disse o baronete, em tom decidido —, parece-me que falei o suficiente sobre o pouco que sei. É hora de cumprirem sua promessa e fazerem um relato completo sobre o que estamos todos discutindo.

— O seu pedido é bastante razoável — Holmes respondeu. — Dr. Mortimer, acho que é melhor o senhor contar sua história como nos contou.

Assim encorajado, nosso científico amigo puxou seus papéis do bolso e apresentou todo o caso como fizera na manhã anterior. Sir Henry Baskerville ouviu com a mais profunda atenção e ocasionais exclamações de surpresa.

— Bem, parece que recebi uma herança e tanto — ele disse, quando a longa narrativa se concluiu. — É claro que ouço falar do cão desde que saí do berçário. É a história favorita da família, embora eu jamais tivesse pensado em levá-la a sério. Mas quanto à morte do meu tio... bem, tudo está fervendo na minha cabeça, e não consigo enxergar com

SIR HENRY BASKERVILLE

clareza. O senhor não parece ter decidido ainda se esse é um caso para um policial ou um clérigo.

— Exatamente.

— E agora há essa questão da carta endereçada a mim no hotel. Acho que isso se encaixa.

— Parece demonstrar que alguém sabe melhor do que nós o que acontece no pântano — disse o Dr. Mortimer.

— E também — disse Holmes — que alguém não tem más intenções com o senhor, já que o alerta sobre o perigo.

— Ou pode ser que essa pessoa queira, por seus próprios motivos, me espantar dali.

— Bem, claro que isso também é possível. Devo muito ao senhor, Dr. Mortimer, por me propor um problema que apresenta várias alternativas interessantes. Mas a questão prática que precisamos resolver agora, Sir Henry, é se é ou não aconselhável que o senhor vá para Baskerville Hall.

— Por que eu não deveria ir?

— Parece haver perigo lá.

— Quer dizer, perigo por causa dessa maldição da família ou de seres humanos?

— Bem, isso é o que precisamos descobrir.

— Seja o que for, minha resposta é a mesma. Não existe demônio no inferno, Sr. Holmes, nem homem na face da Terra que possa me impedir de voltar para o lar da minha família, e considere essa a minha resposta final. — Suas sobrancelhas escuras se contraíram e seu rosto se tingiu de vermelho-escuro enquanto ele falava. Era evidente que o temperamento inflamado dos Baskerville não se extinguira em seu último representante. — Enquanto isso — ele disse —, mal tive tempo para refletir sobre tudo que os senhores me contaram. É muita coisa para um homem entender e tomar decisões de uma vez. Gostaria de ter uma hora de paz, sozinho, para me decidir. Olhe aqui, Sr. Holmes, são 11h30 agora, e eu vou voltar imediatamente para o meu hotel. Que tal o senhor e seu amigo, o Dr. Watson, passarem lá e almoçarem conosco às 14 horas? Então poderei dizer mais claramente o que acho disso tudo.

— É conveniente para você, Watson?

— Perfeitamente.

— Então pode nos esperar. Devo mandar chamar um táxi?

— Prefiro caminhar, pois esse assunto me deixou um tanto alvoroçado.

— Vou acompanhá-lo na caminhada com prazer — disse o seu colega.

— Então nos veremos às 14 horas. *Au revoir* e bom dia!

Ouvimos os passos dos nossos visitantes descendo a escada e a batida da porta da rua. Num instante, Holmes transformou-se de sonhador lânguido em homem de ação.

— Seu chapéu e suas botas, Watson, rápido! Não temos um momento a perder! — Ele correu para o quarto de roupão e voltou poucos segundos depois usando um casaco. Corremos juntos escada abaixo e para a rua. O Dr. Mortimer

SIR HENRY BASKERVILLE

e Baskerville ainda eram visíveis uns duzentos metros à nossa frente, indo na direção da Oxford Street.

— Devo correr e pará-los?

— De modo algum, meu caro Watson. Estou perfeitamente satisfeito com sua companhia, se você tolerar a minha. Nossos amigos foram sábios, pois a manhã está, de fato, ótima para uma caminhada.

Ele apertou o passo até reduzirmos a distância que nos separava deles pela metade. Então, ainda ficando uns cem metros para trás, nós os seguimos pela Oxford Street e pela Regent Street. Uma vez, nossos amigos pararam para olhar uma vitrine, ao que Holmes fez o mesmo. Um instante depois, ele deu um gritinho de satisfação e, seguindo a direção de seus olhos sôfregos, vi que um *hansom** com um homem dentro, que havia parado do outro lado da rua, agora seguia lentamente em frente de novo.

— Lá está nosso homem, Watson! Venha! Daremos uma boa olhada nele, pelo menos, se não pudermos fazer nada mais.

Naquele instante, notei uma espessa barba negra e um par de olhos penetrantes nos fitando pela janela lateral do táxi. Instantaneamente, o alçapão do teto da carruagem se abriu, algo foi gritado para o condutor, e o táxi desabalou loucamente pela Regent Street. Holmes olhou ao seu redor

---

*Carruagem leve de duas rodas com o assento do condutor atrás e por cima da cobertura, muito usada como táxi e que leva o nome de seu criador, o engenheiro britânico Joseph Aloysius Hansom (1803-1882). (N.T.)

ansiosamente, procurando outro, mas não havia nenhum vazio por perto. Então, ele se lançou numa amalucada perseguição em meio ao tráfego, mas a dianteira do táxi era muito grande, e ele já desaparecera de vista.

— Aí está! — disse Holmes amargamente, ao surgir ofegante e pálido de vergonha do fluxo de veículos. — Já houve tamanha falta de sorte, bem como de bom planejamento? Watson, Watson, se você for honesto, vai registrar este fato também e opô-lo aos meus êxitos!

— Quem era aquele homem?

— Não faço ideia.

— Um espião?

— Bem, ficou evidente, pelo que ouvimos, que Baskerville tem sido seguido muito de perto por alguém desde que chegou à cidade. De que outra forma saber-se-ia tão rapidamente que ele escolhera o Hotel Northumberland? Se ele fora seguido no primeiro dia, deduzi que também o seria no segundo. Você pode ter observado que por duas vezes fui até a janela enquanto o Dr. Mortimer estava repetindo sua lenda.

— Sim, eu lembro.

— Eu procurava alguém parado na rua, mas não vi ninguém. Estamos lidando com um sujeito esperto, Watson. Esse assunto é crucial, e ainda que eu não tenha concluído finalmente se é um agente benévolo ou maligno que está em contato conosco, sempre posso notar seu

SIR HENRY BASKERVILLE

poder e premeditação. Quando nossos amigos saíram, eu os segui imediatamente na esperança de descobrir seu observador invisível. Tão astuto ele era que não confiou em segui-los a pé, mas valeu-se de um táxi, para poder ficar para trás ou correr adiante, e assim não ser notado por eles. Seu método tinha a vantagem adicional de já deixá-lo preparado para segui-los, caso eles tomassem um táxi. Tem, todavia, uma desvantagem óbvia.

— Deixa o espião à mercê do taxista.

— Exatamente.

— Que pena não termos anotado o número!

— Meu caro Watson, por mais atrapalhado que eu possa ter sido, certamente você me imagina capaz de negligenciar o número? Não. 2704 é o nosso homem. Mas essa informação não nos é útil no momento.

— Não consigo imaginar como você poderia ter feito mais do que isso.

— Ao avistar o táxi, eu deveria ter dado meia-volta instantaneamente e andado na direção oposta. Então, calmamente, deveria ter parado um segundo táxi e seguido o primeiro a uma distância respeitável ou, melhor ainda, rumado para o Hotel Northumberland e esperado ali. Depois que nosso desconhecido seguisse Baskerville até o hotel, teríamos a oportunidade de usar seu próprio expediente contra ele e descobrir aonde iria. Em vez disso, graças à nossa indiscreta sofreguidão, da qual nosso oponente tirou vantagem com extraordinária rapidez e energia, traímo-nos e perdemos a presa.

Estávamos andando vagarosamente pela Regent Street durante essa conversa, e o Dr. Mortimer com seu acompanhante havia muito tempo saíram do nosso alcance.

— De nada adianta segui-los — disse Holmes. — O espião partiu e não voltará. Precisamos ver que cartas restam em nossas mãos e jogá-las com decisão. Você se lembra bem do rosto do homem dentro do táxi?

— Só me lembro bem da barba.

— Eu também, e disso concluo, com toda a probabilidade, que era falsa. Para um homem astuto, numa missão tão delicada, uma barba não tem utilidade alguma senão esconder suas feições. Entre aqui, Watson!

Ele havia entrado numa das agências distritais de mensageiros, onde foi calorosamente recebido pelo gerente.

— Ah, Wilson, vejo que não esqueceu o singelo caso no qual tive a boa sorte de ajudá-lo.

— Não, senhor, de fato, não esqueci. O senhor salvou meu bom nome, e talvez minha vida.

— Caro amigo, você exagera. Pareço lembrar, Wilson, que um de seus rapazes chamava-se Cartwright e demonstrou certa habilidade durante a investigação.

— Sim, senhor, ele ainda trabalha conosco.

— Pode chamá-lo? Obrigado! E eu ficaria grato se me trocasse esta nota de cinco libras.

Um rapaz de 14 anos, de rosto iluminado e perspicaz, atendeu ao chamado do gerente. Ele agora estava parado, olhando com grande reverência o famoso detetive.

— Empreste-me o Catálogo de Hotéis — disse Holmes. — Obrigado! Bem, Cartwright, aqui estão os nomes de 23 hotéis, todos na imediata vizinhança de Charing Cross. Está vendo?

— Sim, senhor.

— Você visitará todos, um por um.

— Sim, senhor.

— Começará, em cada caso, dando um xelim ao porteiro. Aqui estão 23 xelins.

— Sim, senhor.

— Você dirá a ele que gostaria de ver o lixo dos cestos de papel de ontem. Dirá que um telegrama importante foi perdido e que você o está procurando. Entendeu?

— Sim, senhor.

— Mas na verdade o que você deve procurar é a segunda página do *Times*, com alguns buracos recortados com tesoura. Aqui está um exemplar do *Times*. A página é esta. Você a reconheceria facilmente, não?

— Sim, senhor.

— Em todos os casos, o porteiro mandará chamar o recepcionista, ao qual você também dará um xelim. Aqui estão 23 xelins. Então você descobrirá, talvez em 20 dos 23 casos, que o lixo do dia anterior já foi incinerado ou removido. Nos três outros casos, vão lhe mostrar um monte de papéis e você procurará esta página do *Times* no meio deles. As probabilidades de não encontrá-la são enormes. Aqui estão mais dez xelins para alguma emergência. Quero um relatório por telegrama na Baker Street antes do anoitecer. E agora, Watson, só nos resta indagar por telegrama a identidade do taxista do nº 2704, e então pararemos numa das galerias de arte da Bond Street e mataremos o tempo até nosso compromisso no hotel.

cinco
TRÊS PISTAS INTERROMPIDAS

Sherlock Holmes possuía, num grau bastante notável, o poder de isolar sua mente à vontade. Por duas horas, o estranho caso no qual fôramos envolvidos pareceu ter sido esquecido, e ele se manteve inteiramente absorto nas pinturas dos modernos mestres belgas. Não falou de nada além de arte, sobre a qual tinha as ideias mais toscas, desde que saímos da galeria até chegarmos ao Hotel Northumberland.

— Sir Henry Baskerville está à sua espera — disse o funcionário. — Ele me pediu que convidasse os senhores a subirem assim que chegassem.

— Tem alguma objeção a me deixar olhar seu livro de registro? — perguntou Holmes.

— Absolutamente.

O livro mostrava que dois nomes haviam sido acrescentados após aquele de Baskerville. Um era de Theophilus

Johnson e família, de Newcastle; o outro, da Sra. Oldmore e sua criada, de High Lodge, Alton.

— Certamente deve ser o mesmo Johnson que conheço — disse Holmes ao recepcionista. — Um advogado, não, grisalho, que anda mancando?

— Não, senhor, este é o Sr. Johnson, minerador de carvão, um cavalheiro muito ativo, não mais velho do que o senhor.

— Com certeza deve estar enganado quanto ao ofício dele.

— Não, senhor; ele se hospeda neste hotel há muitos anos, e é bem conhecido aqui.

— Ah, então está resolvido. A Sra. Oldmore também; parece que me lembro do nome. Perdoe minha curiosidade, mas muitas vezes, ao visitar um amigo, acabamos por encontrar outro.

— É uma dama inválida, senhor. Seu marido é ex-prefeito de Gloucester. Ela sempre se hospeda aqui quando está na cidade.

— Obrigado; infelizmente, não tenho a honra de conhecê-la. Estabelecemos um fato de primordial importância com essas perguntas, Watson — ele continuou, em voz baixa, enquanto subíamos a escada juntos. — Sabemos agora que as pessoas que estão tão interessadas no nosso amigo não se hospedaram no mesmo hotel que ele. Isso significa que embora estejam, conforme observamos, muito ansiosas para vigiá-lo, estão igualmente ansiosas para não serem vistas por ele. Ora, esse é um fato muito sugestivo.

— O que sugere?

— Sugere... olá, caro amigo, o que aconteceu, meu Deus?

Quando chegamos ao alto da escada, topamos com Sir Henry Baskerville em pessoa. Seu rosto estava rubro de raiva, e ele segurava uma bota velha e empoeirada numa das mãos. Tão furioso estava que mal conseguia articular a fala, e quando finalmente falou, foi com expressões muito mais abrangentes e ocidentais do que aquelas que o ouvíramos usar pela manhã.

— Parece-me que estão querendo me fazer de otário neste hotel — ele exclamou. — Mas vão descobrir que mexeram com a pessoa errada, se não tomarem cuidado. Com mil trovões, se aquele sujeito não encontrar minha bota desaparecida, vão ter problemas. Sei levar as coisas na brincadeira como ninguém, Sr. Holmes, mas eles passaram um pouco da conta, desta vez.

— Ainda à procura da sua bota?

— Sim, senhor, e pretendo encontrá-la.

— Mas o senhor não disse que era nova e marrom?

— Era, senhor. E agora é uma velha e preta.

— O quê! Quer dizer...?

— É exatamente o que quero dizer. Só tenho três pares de botas no mundo — as novas marrons, as velhas pretas e as de verniz, que estou usando. Noite passada levaram uma das marrons e hoje furtaram uma das pretas. Bem, você a encontrou? Fale logo, homem, não fique aí olhando!

Um agitado mordomo alemão aparecera no local.

— Não, senhor; perguntei por todo o hotel, mas ninguém sabe dela.

— Bem, ou essa bota aparece antes do anoitecer, ou procurarei o gerente e direi que vou me retirar imediatamente deste hotel.

— Será encontrada, senhor — prometo que, se tiver um pouco de paciência, ela será encontrada.

— É bom que seja, pois é o último objeto meu que vou perder neste covil de ladrões. Ora, ora, Sr. Holmes, vai me perdoar por perturbá-lo com algo tão insignificante...

— Acho que o assunto merece atenção.

— O senhor parece levá-lo mesmo a sério.

— Como explica o acontecido?

— Simplesmente não tento explicar. Acho que é a coisa mais louca e esdrúxula que já me aconteceu.

— A mais esdrúxula, talvez — disse Holmes, pensativo.

— O que o senhor acha, pessoalmente?

— Bem, não digo que já entendo o que aconteceu. Esse seu caso é muito complexo, Sir Henry. Quando examinado em conjunto com a morte de seu tio, não sei ao certo se, entre todos os quinhentos casos de capital importância que já investiguei, há algum que seja tão profundo. Mas nós temos várias pistas nas mãos, e as probabilidades indicam que uma ou outra delas vai nos levar à verdade. Podemos perder tempo seguindo a pista errada, mas cedo ou tarde devemos chegar à certa.

Tivemos um almoço agradável durante o qual pouco se falou do caso que nos reuniu. Foi na sala particular à qual nos recolhemos em seguida que Holmes perguntou a Baskerville quais eram suas intenções.

— Ir para Baskerville Hall.

— E quando?

— No fim de semana.

— De maneira geral — disse Holmes —, acho que sua decisão é sábia. Tenho provas suficientes de que o senhor está sendo seguido em Londres, e entre os milhões desta grande cidade, é difícil descobrir quem são essas pessoas ou qual pode ser seu objetivo. Se suas intenções são más, elas poderiam causar dano, e nós seríamos impotentes para evitá-lo. O senhor não percebeu, Dr. Mortimer, que foi seguido hoje de manhã, ao sair da minha casa?

O Dr. Mortimer teve um violento sobressalto.

— Seguido! Por quem?

— Isso, infelizmente, é o que não posso lhe dizer. O senhor tem, entre seus vizinhos ou conhecidos de Dartmoor, algum com uma barba negra e volumosa?

— Não... ou, deixe-me ver... ora, sim, Barrymore, o mordomo de Sir Charles, tem uma barba negra e volumosa.

— Ha! Onde está Barrymore?

— Cuidando da mansão.

— É melhor verificarmos se ele realmente está lá, ou se existe alguma possibilidade de que ele esteja em Londres.

— Como fazer isso?

— Dê-me um formulário telegráfico. "Está tudo pronto para Sir Henry?" Isso basta. Enderece-o para o Sr. Barrymore, em Baskerville Hall. Qual a agência dos telégrafos mais próxima de lá? Grimpen. Muito bem, mandaremos um segundo telegrama para o chefe da agência de Grimpen: "Telegrama para o Sr. Barrymore, para ser entregue em mãos. Caso ele esteja ausente, favor retornar o telegrama para Sir Henry Baskerville, no Hotel Northumberland." Isso nos permitirá determinar, antes de anoitecer, se Barrymore está ou não em seu posto em Devonshire.

— É verdade — disse Baskerville. — A propósito, Dr. Mortimer, quem é esse Barrymore, afinal?

— Ele é o filho do antigo caseiro, que já faleceu. A família cuida da mansão há quatro gerações, agora. Até onde sei, ele e a esposa são um dos casais mais respeitáveis da região.

— Ao mesmo tempo — disse Baskerville —, está bastante claro que, quando não há ninguém da família na mansão, esses dois têm um lar excelente e nada para fazer.

— Isso é verdade.

— Barrymore foi beneficiado pelo testamento de Sir Charles? — perguntou Holmes.

— Ele e a esposa receberam quinhentas libras cada.

— Ha! Eles sabiam que iriam receber essa quantia?

— Sim; Sir Charles gostava muito de falar do disposto em seu testamento.

— Isso é muito interessante.

— Espero — disse o Dr. Mortimer — que o senhor não lance um olhar de suspeita sobre todos os que receberam alguma herança de Sir Charles, pois ele também me deixou mil libras.

— Deveras! Mais alguém?

— Havia muitas outras quantias insignificantes para vários indivíduos e um grande número de entidades beneficentes. O restante foi todo para Sir Henry.

— E qual o valor do restante?

— 740 mil libras.

Holmes ergueu as sobrancelhas, surpreso.

— Eu não fazia ideia de que uma quantia tão gigantesca estava envolvida — ele disse.

— Sir Charles tinha a reputação de ser rico, mas não sabíamos quão imensamente rico ele era até examinarmos seus títulos. O valor total da propriedade era de quase um milhão.

— Pelos céus! É um cacife pelo qual alguém poderia muito bem fazer um jogo desesperado. E mais uma pergunta, Dr. Mortimer. Supondo que alguma coisa acontecesse com nosso jovem amigo aqui, perdoem-me a hipótese desagradável!, quem herdaria a propriedade?

— Como Rodger Baskerville, o irmão mais novo de Sir Charles, morreu sem se casar, a propriedade passaria para os Desmonds, que são primos distantes. James Desmond é um clérigo ancião de Westmoreland.

— Obrigado. Esses detalhes são todos de grande interesse. Conheceu o Sr. James Desmond?

— Sim; uma vez ele veio visitar Sir Charles. É um homem de aparência venerável e vida santa. Lembro que ele recusou qualquer tipo de compensação de Sir Charles, apesar da insistência deste.

— E esse homem de hábitos simples seria o herdeiro da fortuna de Sir Charles.

— Ele seria o herdeiro da propriedade por estar na linha de sucessão. Também herdaria o dinheiro, a menos que o atual proprietário, o qual, naturalmente, pode fazer o que quiser com a fortuna, dispusesse diferentemente em testamento.

— E o senhor fez seu testamento, Sir Henry?

— Não, Sr. Holmes, não fiz. Não tive tempo, pois foi só ontem que fiquei sabendo de tudo isso. Em todo caso, acredito que o dinheiro deva acompanhar o título e a propriedade. Era assim que pensava o meu pobre tio. Como o proprietário poderá restaurar a glória dos Baskerville, se não tiver dinheiro suficiente para conservar a propriedade? A casa, as terras e a fortuna devem ficar juntas.

— De fato. Bem, Sir Henry, estou de acordo com o senhor quanto ao ser aconselhável que vá para Devonshire sem demora. Só existe uma recomendação que preciso fazer. O senhor certamente não deve ir sozinho.

— O Dr. Mortimer voltará comigo.

— Mas o Dr. Mortimer tem sua prática para cuidar, e a casa dele fica a quilômetros da sua. Mesmo com toda a boa vontade do mundo, ele pode não conseguir ajudá-lo. Não, Sir Henry, precisa levar consigo alguém confiável, que esteja sempre ao seu lado.

— Seria possível o senhor mesmo ir, Sr. Holmes?

— Se a questão degenerar numa crise, tratarei de estar presente em pessoa; mas o senhor deve entender que, com minha extensa prática de consultor e os constantes apelos que me chegam de diversas regiões, é-me impossível ficar ausente de Londres por tempo indeterminado. Neste exato momento, um dos nomes mais reverenciados da Inglaterra está sendo maculado por um chantagista, e só eu posso impedir um escândalo desastroso. Deve entender o quanto minha ida para Dartmoor é impossível.

— Quem o senhor recomendaria, então?

Holmes pôs a mão sobre o meu braço.

— Se meu amigo aceitar a tarefa, não existe homem melhor para ter-se ao lado numa dificuldade. Ninguém pode dizer isso com maior confiança do que eu.

A proposta me pegou completamente de surpresa, mas antes que eu tivesse tempo de responder, Baskerville segurou minha mão e a apertou com entusiasmo.

— Ora, é muita gentileza sua, Dr. Watson — ele disse. — O senhor entende como eu penso e sabe tanto sobre o caso quanto eu. Se for comigo para Baskerville Hall e me ajudar, jamais vou esquecer.

A perspectiva da aventura sempre me fascinou, e eu me sentia lisonjeado pelas palavras de Holmes e pela sofreguidão com a qual o baronete me saudava como acompanhante.

— Irei com prazer — eu disse. — Não vejo como poderia empregar melhor o meu tempo.

— E vai me fazer relatórios meticulosos — disse Holmes. — Quando surgir uma crise, como irá surgir, direi como deve agir. Suponho que até sábado tudo estará pronto, certo?

— Está bom para o Dr. Watson?

— Perfeitamente.

— Então, no sábado, salvo avisos em contrário, encontrar-nos-emos no trem das 10h30, em Paddington.

Havíamos nos levantado para sair quando Baskerville deu um grito triunfante e, precipitando-se para um dos cantos do quarto, puxou uma bota marrom debaixo de um gaveteiro.

— A bota desaparecida! — ele gritou.

— Que todas as nossas dificuldades acabem facilmente assim! — disse Sherlock Holmes.

— Mas é algo muito peculiar — comentou o Dr. Mortimer. — Vasculhei meticulosamente este quarto antes do almoço.

— Eu também — disse Baskerville. — Cada centímetro dele.

— Certamente a bota não estava aqui então.

— Nesse caso, o mordomo deve tê-la colocado ali enquanto estávamos almoçando.

O alemão foi chamado, mas jurou nada saber sobre o assunto, que nossas investigações não puderam esclarecer. Outro item fora adicionado à constante e aparentemente aleatória série de pequenos mistérios que surgiam em tão rápida sucessão. Deixando de lado toda a história macabra da morte de Sir Charles, tínhamos uma sequência de incidentes inexplicáveis, todos no intervalo de dois dias, que incluíam a chegada da carta feita de recortes, o espião barbudo no *hansom*, o sumiço da bota marrom nova, o sumiço da bota preta velha, e agora a volta da bota marrom nova. Holmes ficou em silêncio no táxi enquanto voltávamos para a Baker Street, e eu percebia, pelo cenho franzido e expressão concentrada, que sua mente, como a minha, estava ocupada tentando montar algum esquema no qual todos esses episódios estranhos e aparentemente desconexos pudessem se encaixar. A tarde toda e até noite avançada, ele se conservou perdido em tabaco e em pensamentos.

Pouco antes do jantar, dois telegramas nos foram entregues. O primeiro dizia: Acabo de saber que Barrymore está na mansão — Baskerville.

O segundo: Visitei 23 hotéis conforme instruções, mas lamento relatar impossível localizar página recortada *Times* — Cartwright.

— Lá se vão duas das minhas pistas, Watson. Não existe nada mais estimulante do que um caso no qual tudo vai contra você. Precisamos sair à cata de outro rastro.

— Ainda temos o taxista que conduziu o espião.

— Exatamente. Telegrafei pedindo ao Registro Oficial seu nome e endereço. Eu não ficaria surpreso se essas informações fossem a resposta de que preciso.

O toque da campainha provou ser ainda mais satisfatório do que uma resposta, pois a porta se abriu e um sujeito de aspecto rude entrou, evidentemente o homem em pessoa.

— Recebi um recado do escritório central dizendo que um cavalheiro neste endereço andou perguntando do nº 2704 — ele disse. — Conduzo meu táxi há sete anos e nunca ouvi uma só reclamação. Vim direto do pátio p'ra cá perguntar na sua cara o que o senhor tem contra mim.

— Não tenho absolutamente nada contra você, meu bom homem — disse Holmes. — Pelo contrário, tenho meio soberano para lhe dar, se puder responder com clareza às minhas perguntas.

— Ora, é meu dia de sorte, sem dúvida — disse o taxista com um sorriso. — O que quer perguntar, senhor?

— Antes de mais nada, seu nome e endereço, caso precise de você novamente.

— John Clayton, Turpey Street, 3, no Borough*. Meu táxi sai do Pátio de Shipley, perto da Estação de Waterloo.

Sherlock Holmes anotou o endereço.

— Bem, Clayton, fale-me do passageiro que veio vigiar esta casa às dez horas desta manhã e depois seguiu os dois cavalheiros pela Regent Street.

O homem pareceu surpreso e um tanto constrangido.

— Ora, não sei por que eu deveria contar, pois o senhor parece já saber tanto quanto eu — ele disse. — A verdade é que o cavalheiro me contou que era um detetive, e que eu não devia falar dele p'ra ninguém.

— Meu camarada, este é um assunto muito sério, e você vai se ver em péssima situação se tentar esconder algo de mim. Então o passageiro disse que era detetive?

---

*Distrito de Southwark, no centro de Londres, conhecido pelo termo genérico Borough, que denomina cada divisão administrativa da cidade. (N.T.)

— Sim, ele disse.

— Quando ele disse isso?

— Quando desceu do táxi.

— Ele disse mais alguma coisa?

— Mencionou seu nome.

Holmes lançou um rápido olhar de triunfo na minha direção.

— Ah, ele mencionou o nome dele, então? Que imprudência. Que nome ele mencionou?

— O nome dele — disse o taxista — era Sr. Sherlock Holmes.

Jamais vi meu amigo mais completamente surpreso do que pela resposta do taxista. Por um instante, ele se manteve silenciosamente intrigado. Depois caiu numa sonora gargalhada.

— Um toque, Watson... um toque inegável! — ele disse. — Sinto um florete tão veloz e flexível quanto o meu. Ele me atingiu com um belo golpe, desta vez. Então o nome dele era Sherlock Holmes?

— Sim, senhor, esse era o nome do cavalheiro.

— Excelente! Conte-me onde ele embarcou e tudo o que aconteceu.

— Ele me fez sinal às 9h30 na Trafalgar Square. Disse que era detetive e me ofereceu dois guinéus se eu fizesse exatamente o que ele queria o dia todo, sem fazer perguntas. Aceitei de bom grado. Primeiro fomos ao Hotel Northumberland e esperamos ali até que dois cavalheiros saíram e pegaram um táxi da fila. Seguimos o táxi deles até que parou em algum lugar por aqui.

— Na nossa porta — disse Holmes.

— Bem, não tenho certeza disso, mas ousaria dizer que meu passageiro conhecia o lugar. Paramos mais p'ra baixo na rua e esperamos uma hora e meia. Então, os dois cavalheiros passaram por nós, caminhando, e seguimos pela Baker Street e pela...

— Eu sei — disse Holmes.

— Até três quartos da Regent Street. Aí meu passageiro abriu o alçapão e gritou que eu devia correr p'ra Estação de Waterloo o mais rápido que pudesse. Açoitei a égua e chegamos lá em menos de dez minutos. Então ele pagou os dois guinéus direitinho e entrou na estação. Só que, antes de ir embora, se virou e disse: "Pode lhe interessar saber que hoje conduziu o Sr. Sherlock Holmes". Foi assim que fiquei sabendo o nome dele.

— Entendo. E você não o viu mais?

— Não depois que ele entrou na estação.

— E como você descreveria o Sr. Sherlock Holmes?

O taxista coçou a cabeça.

— Bem, ele não era um cavalheiro assim tão fácil de se descrever. Eu lhe daria uns 40 anos de idade, estatura mediana, uns seis ou sete centímetros mais baixo do que o senhor. Estava vestido como um grã-fino e tinha barba preta, quadrada, e rosto pálido. Acho que não saberia dizer mais nada dele.

— Cor dos olhos?

— Não, não saberia dizer.

— Não se lembra de mais nada?

— Não, senhor; nada.

— Bem, então, aqui está o seu meio soberano. Haverá mais meio à sua espera se puder trazer mais informações. Boa noite!

— Boa noite, senhor, e obrigado!

John Clayton partiu, todo sorrisos, e Holmes virou para mim, dando de ombros com um sorriso triste.

— Lá se vai nossa terceira pista, e terminamos onde começamos — ele disse. — O patife ardiloso! Ele sabia nosso endereço, sabia que Sir Henry Baskerville havia me consultado, me reconheceu na Regent Street, conjecturou que eu anotaria o número do táxi e deitaria as mãos no taxista, e assim mandou de volta esse recado audacioso. Estou dizendo, Watson, desta vez temos um adversário à altura do nosso aço. Sofri um xeque-mate em Londres. Só posso desejar melhor sorte a você em Devonshire. Mas minha mente não está calma a respeito disso.

— A respeito do quê?

— De mandar você. Este é um caso feio, Watson, um caso feio e perigoso, e quanto mais sei dele, menos eu gosto. Sim, meu caro amigo, pode rir, mas dou minha palavra de que ficarei muito feliz em ter você de volta são e salvo à Baker Street.

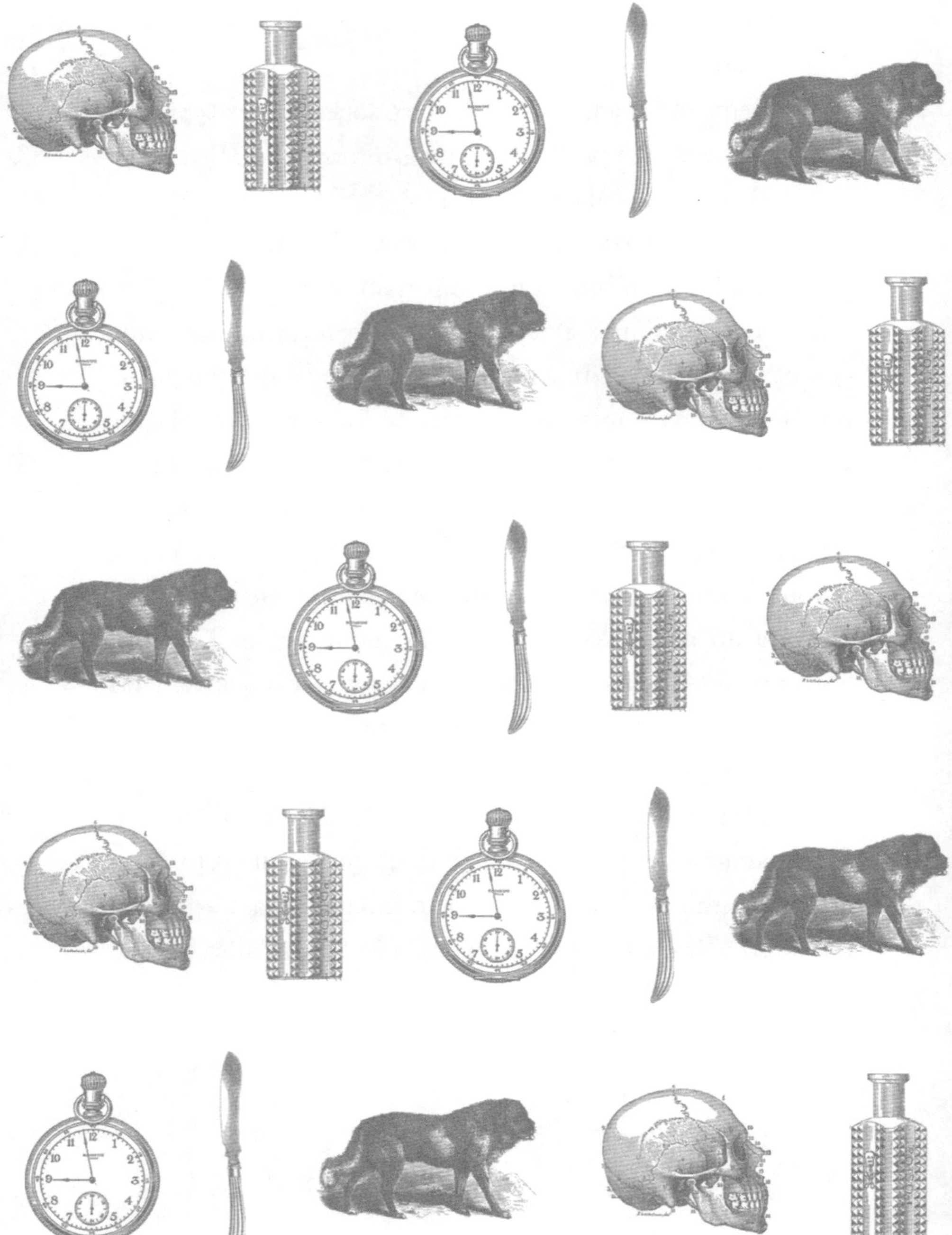

seis
BASKERVILLE HALL

Sir Henry Baskerville e o Dr. Mortimer estavam prontos no dia combinado, e partimos conforme planejáramos para Devonshire. O Sr. Sherlock Holmes foi comigo até a estação e me deu suas últimas injunções e conselhos na despedida.

— Não influenciarei sua mente sugerindo teorias ou suspeitas, Watson — ele disse —; quero apenas que me relate os fatos da maneira mais detalhada possível, e pode deixar que eu tecerei as teorias.

— Que tipo de fatos? — perguntei.

— Qualquer coisa que possa parecer ter alguma importância, por mais indireta que seja, para o caso, e em especial as relações entre o jovem Baskerville e seus vizinhos, ou qualquer novo particular relativo à morte de Sir Charles. Eu mesmo fiz algumas investigações nos últimos dias, mas temo que os resultados tenham sido negativos. Só uma coisa parece ser clara, e é que o tal de Sr. James Desmond, o próximo herdeiro, é um ancião de índole assaz amável; portanto, essa perseguição não vem dele. Realmente acho que podemos eliminá-lo por completo de nossos cálculos. Restam as pessoas que estarão de fato ao redor de Sir Henry Baskerville no pântano.

— Não seria melhor, em primeiro lugar, nos livrarmos desse casal Barrymore?

— De modo algum. Não haveria equívoco maior. Se eles forem inocentes, será uma injustiça cruel, e se forem culpados, estaremos abrindo mão de qualquer oportunidade de levá-los à justiça. Não, não, vamos preservá-los na nossa lista de suspeitos. E há um pajem na mansão, se bem me lembro. Há dois fazendeiros na região do pântano. Há o nosso amigo Dr. Mortimer, que acredito ser totalmente honesto, e há a sua esposa, sobre a qual nada sabemos. Há esse naturalista, Stapleton, e sua irmã, que segundo dizem é uma jovem e atraente dama. Há o Sr. Frankland, de Lafter Hall, que também é um fator incógnito, e mais um ou dois vizinhos. Essas são as pessoas que devem constituir seu estudo muito especial.

— Farei o meu melhor.

— Imagino que tenha armas.

— Sim, achei melhor trazê-las.

— Com toda a certeza. Mantenha seu revólver por perto dia e noite e nunca relaxe suas precauções.

Nossos amigos já haviam reservado um vagão de primeira classe e estavam à nossa espera na plataforma.

— Não, não temos notícias de espécie alguma — disse o Dr. Mortimer, em resposta às indagações do meu amigo. — Posso jurar uma coisa: não fomos seguidos nos últimos dois dias. Não saímos nenhuma vez sem manter severa vigilância, e ninguém poderia ter passado despercebido.

— Presumo que tenham se mantido sempre juntos.

— Exceto ontem à tarde. Normalmente, dedico um dia à pura diversão quando venho para a cidade, por isso o passei no Museu do Colegiado de Cirurgiões.

— E eu fui olhar as pessoas no parque — disse Baskerville. — Mas não tivemos qualquer problema.

— Foi imprudente mesmo assim — disse Holmes, balançando a cabeça e parecendo bastante preocupado. — Rogo-lhe, Sir Henry, que não ande sozinho. Algum grande infortúnio há de lhe acontecer se fizer isso. Recuperou sua outra bota?

— Não, senhor, desapareceu para sempre.

— Não diga! Isso é muito interessante. Bem, adeus — ele acrescentou, quando o trem começou a deslizar pela plataforma. — Mantenha em mente, Sir Henry, uma das frases da peculiar lenda antiga que o Dr. Mortimer leu para nós e evite o pântano naquelas horas da escuridão em que os poderes do mal estão exaltados.

Olhei para a plataforma quando já estávamos bem distantes dela e vi a silhueta alta e austera de Holmes, imóvel e nos olhando.

A jornada foi rápida e agradável, e eu a passei conhecendo mais intimamente meus dois acompanhantes e brincando com o *spaniel* do Dr. Mortimer. Em poucas horas, a terra marrom se tornou vermelha, os tijolos foram substituídos por granito, e vacas vermelhas surgiram em pastos bem cercados, onde a grama viçosa e a maior exuberância da vegetação denotavam um clima mais ameno, ainda que mais úmido. O jovem Baskerville olhava ansiosamente pela janela e gritava de alegria ao reconhecer as características familiares da paisagem de Devon.

— Já andei por boa parte do mundo desde que saí daqui, Dr. Watson — ele disse —; mas jamais vi um lugar que se comparasse com este.

— Jamais conheci um homem de Devonshire que não fosse apaixonado por sua terra natal — comentei.

— Isso depende tanto da raça do homem quanto da terra natal — disse o Dr. Mortimer. — Um rápido olhar sobre o nosso amigo aqui revela a cabeça arredondada típica dos celtas, que carrega dentro de si o apego entusiasta e poderoso desse povo. A cabeça do pobre Sir Charles era de um tipo muito raro, meio gaélica, meio irlandesa, primitiva em suas características. Mas o senhor era muito jovem quando viu Baskerville Hall pela última vez, não era?

— Era um garoto no início da adolescência na época da morte do meu pai, e nunca vira a mansão, já que ele morava numa casinha no litoral sul. Dali fui diretamente para a casa de um amigo na América. Eu digo que é tudo tão novo para mim quanto é para o Dr. Watson, e estou tão ansioso quanto possível para ver o pântano.

— Está? Então seu desejo será facilmente satisfeito, pois aí está o seu primeiro vislumbre do pântano — disse o Dr. Mortimer, apontando para a janela do vagão.

Além dos quadriláteros verdejantes das plantações e da curva baixa de uma floresta, surgia ao longe uma colina cinza e melancólica, com um estranho topo irregular, tênue e vago a distância, como uma paisagem fantástica de sonho. Baskerville ficou por muito tempo com os olhos pregados nela, e li em seu rosto empolgado o quanto significava para ele essa primeira visão do estranho lugar que os homens de sua família governaram por tanto tempo e onde deixaram marcas tão profundas. Lá estava ele, com seu terno de *tweed* e seu sotaque americano, no canto de um prosaico vagão de trem, e no entanto, olhando para seu rosto bronzeado e expressivo, senti mais do que nunca o quanto ele era um autêntico descendente daquela longa linhagem de homens aguerridos, altivos e de sangue nobre. Havia orgulho, valor e força em suas grossas sobrancelhas, suas narinas sensíveis e seus grandes olhos castanhos. Se naquele pântano inóspito uma batalha difícil e perigosa nos esperava, pelo menos esse era um camarada com o qual eu poderia correr riscos, com a certeza de que ele os compartilharia bravamente.

O trem parou numa pequena estação auxiliar e todos descemos. Fora dela, do outro lado da cerca branca baixa, uma charrete com uma parelha de cavalos atarracados estava à nossa espera. Nossa chegada era, evidentemente, um grande acontecimento, pois o chefe da estação e os carregadores se aglomeraram ao nosso redor para levar a bagagem. Era um lugarzinho rural doce e simples, mas fiquei surpreso ao observar que dos lados do portão estavam dois homens com ar de soldados e uniformes escuros, que se apoiavam em seus rifles curtos e nos olharam com atenção quando passamos. O cocheiro, um sujeitinho rústico de feições duras, cumprimentou Sir Henry Baskerville, e em alguns minutos estávamos trotando celeremente pela estrada larga e branca. Pastagens extensas se descortinavam ao nosso redor, e velhas casas com tetos de duas águas surgiam em meio à densa folhagem verdejante, mas por trás dos campos tranquilos e ensolarados se via sempre, escura contra o céu vespertino, a curva longa e soturna do pântano, interrompida pelas colinas irregulares e sinistras.

A charrete virou numa estrada marginal, e fomos subindo por uma trilha com sulcos profundos, cavados por séculos de rodas, com margens altas dos dois lados, carregadas de musgo encharcado e fetos de folhas suculentas. Pterídios cor de bronze e amoreiras pintalgadas brilhavam à luz do sol poente. Ainda subindo a encosta, passamos por uma estreita ponte de granito e seguimos ao lado de uma torrente ruidosa, que corria morro abaixo, espumando e rugindo entre os rochedos cinzentos. Tanto a estrada como a torrente serpenteavam por um vale denso de carvalhos e abetos. A cada curva, Baskerville emitia uma exclamação de deleite, olhando entusiasmado ao redor e fazendo incontáveis perguntas. Aos seus olhos, tudo parecia lindo, mas para mim, um tom de melancolia cobria a zona rural, que trazia tão clara a marca do ano que se findava. Folhas amarelas atapetavam a estrada e caíam lentamente sobre nós enquanto passávamos. O chocalhar de nossas rodas era amortecido sobre as camadas de vegetação apodrecida — tristes oferendas, parecia-me, para serem lançadas pela natureza diante da carruagem do herdeiro dos Baskerville que regressava.

— Ora! — exclamou o Dr. Mortimer. — O que é isso?

Uma encosta pronunciada, recoberta por urzedos, uma língua projetada do pântano, estendia-se à nossa frente. No alto dela, firme e claro como uma estátua equestre sobre seu pedestal, estava um soldado a cavalo, escuro e grave, com o rifle em riste sobre o antebraço. Ele observava a estrada pela qual trafegávamos.

— O que é isso, Perkins? — perguntou o Dr. Mortimer.

Nosso cocheiro virou um pouco o corpo no assento.

— Um preso fugiu de Princetown, senhor. Já está foragido há três dias, e os guardas vigiam cada estrada e cada estação, mas ainda não viram nem sinal dele. Os fazendeiros daqui não estão gostando nada disso, senhor, pode ter certeza.

— Bem, pelo que sei, quem puder dar alguma informação ganhará cinco libras.

— Sim, senhor, mas a possibilidade de ganhar cinco libras pouco vale, comparada à possibilidade de ter a garganta cortada. Veja bem, esse não é um preso comum. É um homem que mata por um nada.

— Quem é ele, então?

— É Selden, o assassino de Notting Hill.

Eu me lembrava bem do caso, pois Holmes se interessara por ele por conta da ferocidade peculiar do crime e da brutalidade gratuita que marcava todas as ações do assassino. A comutação da sua sentença de morte se devera a algumas dúvidas quanto à sua completa sanidade, de tão atroz que fora a sua conduta. Nossa charrete chegara ao alto de uma elevação, e diante de nós se descortinava a imensa extensão do pântano, pontilhada por *cairns** e penedos ásperos e irregulares. Um vento frio vinha dela e causava arrepios. Em algum lugar daquele planalto desolado, um homem perverso se esgueirava, escondido numa toca como uma fera selvagem, com o coração cheio de maldade contra toda a humanidade que o segregara. Só faltava isso para completar a macabra atmosfera do charco estéril, do vento gelado e do céu escuro. Até Baskerville se calou e fechou mais seu sobretudo ao redor do corpo.

Havíamos deixado as terras férteis para trás e abaixo de nós. Olhamos para elas agora, os raios inclinados do sol poente transformando os riachos em fios de prata e brilhando sobre a terra vermelha recentemente revirada pelo arado, e o vasto emaranhado das florestas. A estrada à nossa frente ia ficando mais esquálida e selvagem sobre grandes encostas ruças e verde-oliva, salpicadas de pedregulhos gigantes. Aqui e ali passávamos por alguma casa nas terras alagadiças, com paredes e tetos de pedra, sem nenhuma trepadeira para suavizar seus contornos duros. De repente, avistamos uma depressão em forma de copa, pontilhada por carvalhos e abetos partidos, retorcidos e encurvados pela fúria de anos de tempestades. Duas torres altas e estreitas erguiam-se por cima das árvores. O cocheiro apontou com seu chicote.

---

*Espécie de túmulo celta antigo, feito de pedras empilhadas. (N.T.)

— Baskerville Hall — ele disse.

O senhor do local se levantara e o estava olhando, com bochechas afogueadas e olhos brilhantes. Alguns minutos depois, chegamos aos portões da mansão, um labirinto de linhas fantásticas de ferro batido, com pilastras castigadas pelo tempo de cada lado, manchadas por líquens e encimadas pelas cabeças de javali dos Baskerville. A mansão era uma ruína de granito negro e vigas expostas como costelas, mas diante dela havia uma nova construção, incompleta, o primeiro fruto do ouro sul-africano de Sir Charles.

Através do portão passamos para a via de acesso, onde as rodas eram novamente silenciadas pelas folhas e as velhas árvores lançavam seus galhos numa abóbada sombria acima de nossas cabeças. Baskerville estremeceu ao olhar para a outra extremidade da longa e escura alameda, onde a casa brilhava como uma aparição.

— Foi aqui? — ele perguntou em voz baixa.

— Não, não, a Alameda dos Teixos fica do outro lado.

O jovem herdeiro olhou ao seu redor com ar desolado.

— Não admira que meu tio se sentisse ameaçado num lugar assim — ele disse. — Isto aqui assustaria qualquer um. Mandarei instalar lâmpadas elétricas nesta via em menos de seis meses, e os senhores não a reconhecerão, com mil velas de Swan and Edison[*] bem aqui, diante da porta de entrada.

---

[*] Empresa inglesa fabricante das primeiras lâmpadas elétricas incandescentes em meados do século XIX. (N.T.)

A alameda se abria num vasto pátio de turfa, e a casa surgiu diante de nós. À luz minguante, eu podia ver que o centro dela era um bloco de construção maciça do qual saía um pórtico. Toda a fachada estava coberta de hera, com recortes nus aqui e ali onde uma janela ou um brasão rompiam o véu escuro. Do bloco central partiam as torres gêmeas, antigas, crenuladas e perfuradas por várias seteiras. À direita e à esquerda das torres havia alas mais modernas de granito negro. Uma luz baça brilhava através das janelas recobertas por pesadas barras, e das altas chaminés que se elevavam do teto íngreme surgia uma única coluna de fumaça preta.

— Bem-vindo, Sir Henry! Bem-vindo a Baskerville Hall!

Um sujeito alto havia saído da penumbra do pórtico e abrira a porta da charrete. A silhueta de uma mulher se destacava da luz amarela do saguão. Ela saiu e ajudou o homem a descer nossa bagagem.

— Não se importa se eu for imediatamente para casa, Sir Henry? — disse o Dr. Mortimer. — Minha esposa está me esperando.

— Certamente o senhor ficará para o jantar, não?

— Não, preciso ir. Provavelmente encontrarei trabalho à minha espera. Eu ficaria para lhe mostrar a casa, mas Barrymore será um guia melhor do que eu. Adeus e não hesite, a qualquer hora do dia ou da noite, em me chamar, se eu puder ser útil.

BASKERVILLE HALL

O barulho das rodas sumiu pela alameda enquanto Sir Henry e eu entramos no saguão, e a porta se fechou com estrondo atrás de nós. Vimo-nos num belo cômodo, amplo, alto, com imensas e pesadas vigas de carvalho enegrecido pelo tempo. Na grande e antiquada lareira, por trás dos altos cães de ferro, achas em chamas crepitavam e estalavam. Sir Henry e eu estendemos as mãos na direção do fogo, pois estavam dormentes com o frio da longa viagem. Então olhamos ao nosso redor para as janelas altas e estreitas de vitrais antigos, os painéis de carvalho, os troféus de caça, os brasões nas paredes, tudo escuro e sombrio à luz fraca da lâmpada central.

— É exatamente como eu imaginava — disse Sir Henry. — Não é a própria imagem de uma velha casa de família? E pensar que esta é a mansão na qual minha gente morou por quinhentos anos! Sinto a solenidade do momento ao pensar nisso.

Vi seu rosto bronzeado iluminar-se com um entusiasmo pueril ao olhar ao seu redor. A luz o iluminava ali onde ele estava, mas longas sombras cobriam as paredes e o envolviam como um toldo negro. Barrymore havia voltado, depois de levar nossa bagagem para os quartos. Ele estava diante de nós, agora, com os modos discretos de um serviçal bem treinado. Era um homem de aspecto notável, alto, atraente, com uma barba negra e quadrada e semblante pálido e distinto.

— Deseja que o jantar seja servido imediatamente, senhor?
— Está pronto?

— Em poucos minutos, senhor. Encontrarão água quente em seus aposentos. Minha esposa e eu ficaremos felizes, Sir Henry, em permanecer com o senhor até que tenha concluído suas novas disposições, mas o senhor há de entender que, sob as novas condições, esta casa precisará de uma criadagem considerável.

— Que novas condições?

— Eu só quis dizer, senhor, que Sir Charles levava uma vida muito reclusa, e nós conseguíamos atender às suas necessidades. O senhor vai querer, naturalmente, ter mais companhia, e assim vai precisar fazer mudanças em sua criadagem.

— Quer dizer que você e sua esposa desejam partir?

— Somente quando for mais conveniente para o senhor.

— Mas sua família está conosco há várias gerações, não está? Eu lamentaria começar minha vida aqui rompendo um velho laço familiar.

Eu parecia discernir alguns sinais de emoção no rosto pálido do mordomo.

— Também penso assim, senhor, bem como minha esposa. Mas para dizer a verdade, senhor, éramos muito ligados a Sir Charles, e sua morte foi um choque e tornou este ambiente muito doloroso para nós. Temo que nunca mais consigamos ter paz de espírito em Baskerville Hall.

— Mas o que pretendem fazer?

— Não tenho dúvidas, senhor, de que lograremos êxito em nos estabelecer em algum negócio. A generosidade de

Sir Charles nos deu os meios para isso. E agora, senhor, talvez seja melhor que eu lhe mostre seus aposentos.

Uma galeria quadrada com balaústres contornava o alto do velho saguão, acessível por um par de escadas. Desse ponto central, dois longos corredores percorriam toda a extensão do prédio, com as portas de todos os dormitórios. O meu ficava na mesma ala que o de Baskerville, quase contíguo ao dele. Esses quartos pareciam muito mais modernos do que a parte central da casa, e o papel de parede claro e as inúmeras velas removiam um pouco a impressão sombria que nossa chegada deixara em minha mente.

Mas o salão de jantar para o qual dava o saguão era um lugar de sombra e melancolia. Era uma longa câmara com um degrau separando a plataforma onde a família se sentava da parte mais baixa, reservada para a criadagem. Numa das extremidades havia um mezanino com um balcão. Vigas pretas cruzavam o ar acima de nossas cabeças, sustentando um teto escurecido pela fumaça. Com fileiras de tochas flamejantes para iluminá-la, e a cor e a hilariedade rude de um banquete à moda antiga, a sala seria abrandada; mas agora, com dois cavalheiros em trajes pretos sentados sob o pequeno círculo de luz projetado por uma lâmpada coberta, o tom de voz diminuía e o espírito esmorecia. Uma linha de ancestrais na penumbra, em todo tipo de vestimenta, do cavaleiro elizabetano ao valentão da Regência, nos olhavam do alto e nos desolavam com sua companhia silenciosa. Falávamos pouco, e eu, pelo menos, fiquei feliz quando a refeição acabou e pudemos passar ao moderno salão de bilhar e fumar um cigarro.

— Pelos céus, este não é um lugar muito alegre — disse Sir Henry. — Imagino que seja possível se acostumar, mas sinto-me um pouco deslocado no momento. Não admira que meu tio ficasse um pouco sobressaltado, morando sozinho numa casa como esta. De qualquer forma, se estiver de acordo, vamos nos recolher cedo esta noite, e talvez as coisas possam parecer mais animadas pela manhã.

Abri as cortinas no meu quarto, antes de me deitar, e olhei pela janela. Ela dava para o espaço gramado diante da porta de entrada. Mais longe, dois aglomerados de árvores rangiam e se agitavam no vento crescente. A lua minguante atravessava as nesgas de nuvens velozes. À sua luz fria, eu via além das árvores uma crista partida de pedras e a longa curva baixa do melancólico pântano. Fechei a cortina, sentindo que minha última impressão condizia com as outras.

No entanto, não foi exatamente a última. Eu estava exausto, porém acordado, rolando inquieto de um lado para outro, buscando um sono que não vinha. Ao longe, um relógio batia os quartos de hora, mas à parte isso, um silêncio sepulcral envolvia a velha casa. E então, de repente, na hora mais morta da noite, um som chegou aos meus ouvidos, claro, ressoante e inconfundível. Era o soluço de uma mulher, o gemido abafado e sufocado de alguém à mercê de um sofrimento incontrolável. Eu me sentei na cama e escutei com atenção. O som não poderia ter vindo de muito longe, e era certamente de dentro da casa. Por meia hora esperei com cada nervo em alerta, mas não chegou mais nenhum ruído além do relógio batendo as horas e o farfalhar da hera na parede.`

sete
OS STAPLETON DE MERRIPIT HOUSE

A beleza fresca da manhã seguinte contribuiu para apagar de nossas mentes a impressão macabra e cinzenta que a experiência inicial em Baskerville Hall deixara em ambos. Enquanto Sir Henry e eu estávamos sentados à mesa do desjejum, a luz do sol se derramava pelas altas janelas gradeadas, lançando cores de aquarela dos brasões que as cobriam. Os painéis escuros brilhavam como bronze sob os raios dourados, e era difícil dar-se conta de que aquele era, de fato, o cômodo que enchera nossas almas de melancolia na noite anterior.

— Acho que a culpa é nossa, e não da casa! — disse o baronete. — Estávamos cansados da nossa jornada e gelados pelo frio do percurso, por isso vimos o lugar de forma tão cinzenta. Agora estamos repousados e bem, e tudo está alegre mais uma vez.

— No entanto, não foi apenas uma questão de imaginação — respondi. — Por exemplo, o senhor por acaso ouviu alguém, uma mulher, acho, soluçando à noite?

— É curioso, pois quando estava quase dormindo, imaginei ter ouvido algo assim. Esperei muito tempo, mas não ouvi mais nada, por isso concluí que não passava de um sonho.

— Eu ouvi distintamente, e tenho certeza de que era mesmo o soluço de uma mulher.

— Precisamos inquirir a respeito disso já.

Ele tocou a sineta e perguntou a Barrymore se este podia explicar a nossa experiência. Pareceu-me que os traços pálidos do mordomo assumiram um tom mais pálido ainda quando ele ouviu a pergunta do patrão.

— Só há duas mulheres na casa, Sir Henry — ele respondeu. — Uma é a copeira, que dorme numa ala diferente. A outra é a minha esposa, e posso afirmar que esse som não poderia ter partido dela.

No entanto, ele mentia ao dizer isso, porque deu-se que depois do desjejum encontrei a Sra. Barrymore no longo corredor, com o sol batendo em cheio em seu rosto. Ela era uma mulher corpulenta, impassível, de traços duros, com uma boca severa e resoluta. Mas seus olhos reveladores estavam vermelhos e me olhavam entre pálpebras inchadas. Fora ela, portanto, que chorara à noite, e se fizera isso, seu marido devia saber. Todavia, ele assumira o risco óbvio de ser descoberto ao declarar que não fora assim. Por que fizera isso? E por que ela chorara tão amargamente? Ao redor desse homem pálido, atraente e de barba negra já começava a se formar uma atmosfera de mistério e desolação. Ele fora o primeiro a descobrir o corpo de Sir Charles, e tínhamos apenas sua palavra sobre todas as circunstâncias que levaram à morte do velho. Seria possível ter sido Barrymore, no fim das contas, quem víramos no táxi na Regent Street? A barba podia muito bem ser a mesma. O taxista descrevera um homem um pouco mais baixo, mas era possível que tivesse se equivocado nessa impressão. Como eu poderia resolver a questão de vez? Obviamente, a primeira coisa a fazer era visitar o chefe da agência telegráfica de Grimpen e descobrir se o telegrama de teste fora realmente entregue em mãos a Barrymore. Fosse qual fosse a resposta a isso, ao menos eu teria algo para relatar a Sherlock Holmes.

Sir Henry tinha inúmeros documentos a examinar após o desjejum, então a hora era propícia para a minha excursão. Foi uma caminhada agradável de seis quilômetros contornando o pântano, que me levou finalmente a uma pequena aldeia cinza, na qual duas construções maiores, que provaram ser o albergue e a casa do Dr. Mortimer, elevavam-se acima das restantes. O chefe da agência, que também era o quitandeiro da aldeia, tinha uma lembrança clara do telegrama.

— Certamente, senhor — ele disse —, mandei entregar o telegrama ao Sr. Barrymore exatamente de acordo com as instruções.

— Quem o entregou?

— O meu menino aqui. James, você entregou aquele telegrama ao Sr. Barrymore na mansão semana passada, não entregou?

— Sim, pai, entreguei.

— Nas mãos dele? — perguntei.

— Bem, ele estava no sótão no momento, então não pude entregá-lo em mãos, mas o deixei nas mãos da Sra. Barrymore, e ela prometeu entregá-lo imediatamente.

— Você viu o Sr. Barrymore?

— Não, senhor; como eu disse, ele estava no sótão.

— Se você não o viu, como sabe que ele estava no sótão?

— Bem, decerto que a esposa do homem deve saber onde ele está — disse o chefe da agência, irritado. — Ele não recebeu o telegrama? Se houve algum engano, o próprio Sr. Barrymore deve reclamar.

Parecia inútil investigar a questão mais a fundo, mas estava claro que, apesar do estratagema de Holmes, não tínhamos provas de que Barrymore não estivera em Londres naquele momento. Supondo que fosse assim — supondo que o mesmo homem fora o último a ver Sir Charles vivo, e o primeiro a seguir o novo herdeiro quando este voltou à Inglaterra, o que pensar? Ele estaria a serviço de alguém ou teria seu próprio plano sinistro? Que interesses poderia ter em perseguir a família Baskerville? Pensei no estranho aviso recortado do editorial do *Times*. Aquilo fora obra dele, ou possivelmente de alguém disposto a atrapalhar seus planos? O único motivo concebível seria o que fora sugerido por Sir Henry, que se a família pudesse ser afugentada, um lar confortável e permanente estaria assegurado aos Barrymore. Mas certamente uma explicação dessas seria bastante inadequada para justificar a profunda e sutil intriga que parecia estar tecendo uma teia invisível ao redor do jovem baronete. O próprio Holmes dissera que nenhum caso mais complexo jamais surgira, em toda a longa série de suas sensacionais investigações. Eu fazia votos, ao caminhar de volta pela estrada cinzenta e solitária, que meu amigo pudesse logo se ver livre de suas ocupações e tirasse esse pesado fardo de responsabilidade dos meus ombros.

De súbito, meus pensamentos foram interrompidos pelo som de pés correndo atrás de mim, e uma voz chamou meu nome. Eu me virei, esperando ver o Dr. Mortimer, mas para minha surpresa, era um desconhecido que me seguia. Um homem pequeno, magro, bem barbeado e de traços delicados, cabelo louro e queixo fino, de uns 30 ou 40 anos de idade, metido num terno cinza e usando chapéu de palha. Uma caixa de lata para espécimes botânicos pendia de seu ombro, e ele levava uma rede de borboletas verde numa das mãos.

— Sei que vai perdoar meu atrevimento, Dr. Watson — ele disse, ao se aproximar ofegante. — Aqui no pântano somos gente simples, e não esperamos por apresentações formais. Talvez nosso amigo em comum, Mortimer, tenha mencionado meu nome. Eu sou Stapleton, de Merripit House.

— Sua rede e sua caixa me revelaram isso — eu disse —, pois eu sabia que o Sr. Stapleton é um naturalista. Mas como me reconheceu?

— Eu estava visitando Mortimer, e ele apontou o senhor quando passou pela janela de seu consultório. Como eu ia fazer o mesmo caminho, resolvi alcançá-lo e me apresentar. Espero que Sir Henry tenha feito boa viagem.

— Ele está muito bem, obrigado.

— Todos de certa forma temíamos que, depois da triste morte de Sir Charles, o novo baronete se recusasse a vir morar aqui. É pedir muito de um homem de posses que venha se enterrar num lugar deste tipo, mas nem preciso lhe dizer que seria muito importante para a região. Sir Henry, suponho, não tem temores supersticiosos acerca do caso?

— Acho que isso é pouco provável.

— Naturalmente, o senhor conhece a lenda do cão infernal que assombra a família?

— Eu a ouvi.

— É extraordinário quão crédulos são os camponeses daqui! Muitos estão dispostos a jurar que já viram essa criatura no pântano. — O homenzinho falava com um sorriso, mas eu parecia ler em seus olhos que ele levava o assunto mais a sério. — A história dominava sobremaneira a imaginação de Sir Charles, e não tenho dúvida de que o levou ao seu trágico fim.

— Mas como?

— Seus nervos estavam tão alterados que a aparição de qualquer cão poderia ter produzido um efeito fatal em seu coração adoentado. Imagino que ele tenha realmente visto algo do tipo, naquela última noite na Alameda dos Teixos. Eu temia que um desastre assim pudesse acontecer, pois gostava muito do velho, e sabia que seu coração era fraco.

— Como sabia disso?

— Meu amigo Mortimer me contara.

— Acha, então, que algum cão perseguiu Sir Charles e que ele morreu de medo em decorrência disso?

— Tem alguma explicação melhor?

— Não cheguei a nenhuma conclusão.

— E o Sr. Sherlock Holmes chegou?

As palavras roubaram meu fôlego por um instante, mas o rosto plácido e o olhar firme do meu interlocutor demonstravam que a intenção não fora causar surpresa.

— É inútil fingirmos não conhecer o senhor, Dr. Watson — ele disse. — Os relatos do seu detetive chegaram até aqui, e o senhor não poderia torná-lo célebre sem, por sua vez, também tornar-se conhecido. Quando Mortimer me disse seu nome, não pôde negar sua identidade. Se o senhor está aqui, segue-se que o Sr. Sherlock Holmes se interessou pelo caso, e eu estou naturalmente curioso em saber qual seria a visão dele.

— Temo não poder responder a essa pergunta.

— Permite-me perguntar se ele irá nos honrar com uma visita?

— Ele não pode se ausentar da cidade, no momento. Tem outros casos que demandam sua atenção.

— Que pena! Talvez ele lançasse alguma luz sobre aquilo que para nós está tão obscuro. Mas quanto às suas pesquisas, se de qualquer forma eu puder ser útil ao senhor, estarei às ordens. Se eu tivesse alguma indicação da natureza de suas suspeitas ou de como se propõe a investigar o caso, talvez pudesse agora mesmo oferecer alguma ajuda ou conselho.

— Eu lhe asseguro que estou aqui simplesmente em visita ao meu amigo Sir Henry, e que não preciso de ajuda de espécie alguma.

— Excelente! — disse Stapleton. — Tem toda a razão em ser desconfiado e discreto. Considero-me justamente reprovado pelo que sinto ser uma intrusão injustificável e prometo que não voltarei a mencionar o assunto.

Chegáramos a um ponto onde um estreito caminho gramado saía da estrada e serpenteava através do pântano. Uma colina íngreme e salpicada de rochedos, transformada em pedreira para extração de granito em épocas passadas, estendia-se à direita. A face que dava para o nosso lado formava um penhasco escuro, com fetos e amoreiras crescendo em suas fendas. De uma elevação distante subia um penacho de fumaça cinza.

— Uma caminhada moderada por esta trilha através do pântano leva a Merripit House — ele disse. — Se o senhor dispuser de uma hora, poderei ter o prazer de lhe apresentar a minha irmã.

Meu primeiro pensamento foi que eu deveria estar ao lado de Sir Henry. Mas então me lembrei da pilha de documentos e contas que entulhava a mesa de seu escritório. Certamente eu não poderia ajudá-lo com aquilo. E Holmes dissera expressamente que eu devia estudar os vizinhos do pântano. Aceitei o convite de Stapleton e enveredamos juntos pelo caminho.

— É um lugar maravilhoso, o pântano — ele disse, olhando ao seu redor as planícies onduladas, longos vagalhões verdejantes com cristas de granito irregular espumando em fantásticas arrebentações. — O pântano nunca cansa. O senhor nem imagina os segredos maravilhosos que ele contém. É tão vasto, estéril e misterioso.

— Conhece-o bem, então?

— Estou aqui há apenas dois anos. Os residentes me chamariam de novato. Chegamos pouco depois que Sir Charles se estabeleceu. Mas meus gostos me levaram a explorar cada parte da região ao redor, e acredito que poucos homens o conheçam melhor do que eu.

— É difícil conhecê-lo?

— Muito difícil. Veja, por exemplo, esta grande planície aqui ao norte, com as estranhas colinas despontando dela. Observa qualquer coisa notável?

— Parece um ótimo lugar para galopar.

— É natural que pense assim, e esse pensamento já custou a vida de várias pessoas. Percebe aquelas manchas de um verde brilhante densamente espalhadas sobre a planície?

— Sim, parecem mais férteis do que o resto.

Stapleton riu.

— Aquele é o grande Charco de Grimpen — ele disse. — Um passo em falso ali significa a morte para homens ou animais. Ontem mesmo vi um dos pôneis do pântano entrar ali. Ele não voltou mais. Vi sua cabeça por muito tempo projetando-se do lamaçal, mas ele foi finalmente sugado. Até na estação da seca é um perigo atravessá-lo, mas depois destas chuvas outonais, o lugar é terrível. No entanto, eu consigo ir até o meio dele e voltar vivo. Pelos céus, lá está outro daqueles pobres pôneis!

Algo marrom estava rolando e se debatendo entre os juncos verdes. Então um pescoço longo, agonizante, agitado emergiu, e um relincho horripilante ecoou pelo pântano. O horror gelou-me o sangue, mas os nervos do meu acompanhante pareciam mais fortes do que os meus.

— Foi-se! — ele disse. — O charco o tomou. Dois em dois dias, e muitos mais, talvez, pois eles se acostumam a entrar lá no tempo seco, e só percebem a diferença quando o charco já os tem em suas garras. É um lugar maligno, o grande Charco de Grimpen.

— E o senhor diz que consegue penetrá-lo?

— Sim, há um ou dois caminhos que um homem muito ágil pode seguir. Eu os descobri.

— Mas por que iria querer visitar um lugar tão horrível?

— Bem, está vendo as colinas depois dele? Na verdade, são ilhas isoladas por todos os lados pelo charco impenetrável, que foi se formando ao redor delas com o passar dos anos. É lá que as plantas e as borboletas raras estão, para quem tiver a astúcia de alcançá-las.

— Um dia tentarei a sorte.

Ele me olhou com expressão surpresa.

— Pelo amor de Deus, tire essa ideia da cabeça — ele disse. — Seu sangue estaria em minhas mãos. Garanto que não existe a mínima chance do senhor voltar vivo. Só memorizando certos detalhes complexos do relevo eu consigo fazer isso.

— Olá! — gritei. — O que é aquilo?

Um gemido longo e grave, indescritivelmente triste, espalhou-se pelo pântano. Preenchia todo o ar, porém era impossível dizer de que lado vinha. De um murmúrio baixo, cresceu até se tornar um rugido e depois definhou novamente para um murmúrio pulsante e melancólico. Stapleton me olhou com uma expressão curiosa no rosto.

— Lugar esquisito, o pântano! — ele disse.

— Mas o que é?

— Os camponeses dizem que é o Cão dos Baskerville chamando sua presa. Já o ouvi uma ou duas vezes, mas jamais tão alto assim.

Olhei ao meu redor, com um calafrio de medo no coração, para a imensa planície encrespada, pontilhada pelas manchas verdejantes das plantas aquáticas. Nada se movia sobre o vasto espaço além de um par de corvos, que crocitavam ruidosamente num rochedo atrás de nós.

— O senhor é um homem instruído. Não acredita nessas bobagens — eu disse. — O que imagina ser a causa de um som tão estranho?

— Brejos emitem sons estranhos, às vezes. É a lama se acomodando, a água subindo ou algo assim.

— Não, não, aquilo era a voz de um ser vivo.

— Bem, talvez fosse. Já ouviu o canto trovejante de um alcaravão?

— Não, nunca.

— É um pássaro muito raro, praticamente extinto na Inglaterra hoje, mas tudo é possível no pântano. Sim, eu não ficaria surpreso em saber que acabamos de ouvir o canto do último alcaravão.

— É a coisa mais aberrante e estranha que já ouvi na minha vida.

— Sim, é um lugar bastante perturbador, de maneira geral. Veja a encosta da colina ali. O que acha daquilo?

Toda a íngreme encosta estava coberta de anéis circulares de pedra cinza, vinte deles, no mínimo.

— O que são? Currais de ovelhas?

— Não, são os lares de nossos valorosos ancestrais. O homem pré-histórico habitava densamente o pântano, e como quase ninguém mora ali desde então, encontramos todos os seus arranjozinhos exatamente como os deixaram. Aquelas são suas moradias sem telhados. O senhor pode ver até suas lareiras e seus sofás, se tiver a curiosidade de entrar nelas.

— Mas é uma cidade e tanto. Quando foi habitada?

— Pelos homens neolíticos — nenhuma data precisa.

— O que eles faziam?

— Levavam seu gado para pastar nestas encostas, e aprenderam a minar metais quando a espada de bronze começou a sobrepujar a machadinha de pedra. Veja a grande trincheira na colina em frente. Aquela é a marca deles. Sim, o senhor vai encontrar vários pontos singulares no pântano, Dr. Watson. Oh, com licença um momento! É certamente uma *Cyclopides*.

Uma pequena mosca ou mariposa cruzara esvoaçando o nosso caminho, e num instante Stapleton pôs-se a persegui-la com extraordinária energia e velocidade. Para minha preocupação, a criatura voou diretamente para o grande charco, e meu acompanhante não titubeou por um segundo sequer, saltando de morrinho em morrinho atrás dela, agitando sua rede verde no ar. Suas roupas cinza e seu progresso agitado e irregular em ziguezague tornavam-no pouco dessemelhante, ele próprio, de uma enorme mariposa. Eu estava parado, observando a perseguição com uma mistura de admiração por sua extraordinária energia e temor de que ele perdesse o equilíbrio no charco traiçoeiro, quando ouvi passos e, me virando, vi uma mulher perto de mim no caminho. Ela vinha da direção em que o penacho de fumaça indicava a localização de Merripit House, mas a depressão do pântano a escondera até que estivesse bem próxima.

Eu não tinha dúvidas de que aquela era a Srta. Stapleton de quem eu havia ouvido falar, já que damas de qualquer tipo deviam ser raras no pântano, e eu lembrava ter ouvido alguém descrevê-la como uma beldade. A mulher que se aproximava era certamente bela, e de um tipo muito incomum. Não poderia existir um contraste maior entre irmão e irmã, pois Stapleton tinha um tom de pele neutro, cabelo louro e olhos cinza, enquanto ela era mais escura do que qualquer morena que eu já vira na Inglaterra — esguia, elegante e alta. Tinha um rosto altivo, de traços finos, tão regular que poderia parecer impassível, não fosse pela boca delicada e os lindos olhos escuros e ansiosos. Com sua silhueta perfeita e seu vestido elegante, era realmente uma estranha aparição num caminho solitário em meio ao pântano. Seus olhos fitavam o irmão quando me virei, e então ela apertou o passo na minha direção. Eu erguera meu chapéu e estava para apresentar alguma explicação quando suas palavras fizeram todos os meus pensamentos tomarem um novo rumo.

— Volte! — ela disse. — Volte já para Londres, neste instante.

Eu só consegui olhar para ela em estupefata surpresa. Seus olhos ardiam para mim, e ela batia o pé no chão com impaciência.

— Por que eu deveria voltar? — perguntei.

— Não posso explicar. — Ela falava em voz baixa e ansiosa, com um curioso cicio na pronúncia. — Mas, pelo amor de Deus, faça o que estou pedindo. Volte e nunca mais ponha os pés no pântano.

— Mas eu acabei de chegar.

— Homem, homem! — ela gritou. — Não consegue ver quando um aviso é para o seu próprio bem? Volte para

Londres! Parta esta noite mesmo! Afaste-se deste lugar a qualquer custo! Quieto, meu irmão está vindo! Nem uma palavra do que eu disse. Poderia pegar aquela orquídea para mim, ali entre as hipures? Temos uma riqueza de orquídeas aqui no pântano, embora, é claro, o senhor tenha chegado um tanto tarde para ver as belezas do lugar.

Stapleton abandonara a caçada e voltava para perto de nós, ofegante e vermelho com o exercício.

— Olá, Beryl! — ele disse, e me pareceu que o tom de sua saudação não era de todo cordial.

— Ora, Jack, você está muito quente.

— Sim, eu estava perseguindo uma *Cyclopides*. É muito rara e pouco encontrada no final do outono. Pena que ela escapou!

Ele falava despreocupado, mas seus olhinhos claros corriam incessantemente entre mim e a garota.

— Já se apresentaram, pelo que vejo.

— Sim. Eu estava dizendo a Sir Henry que já é um tanto tarde para ver as verdadeiras belezas do pântano.

— Ora, quem você acha que ele é?

— Imagino que deva ser Sir Henry Baskerville.

— Não, não — eu disse. — Só um humilde plebeu, mas amigo dele. Meu nome é Dr. Watson.

Um rubor de vergonha passou pelo rosto expressivo da jovem.

— Estávamos tendo uma conversa equivocada — ela disse.

— Ora, não tiveram muito tempo para conversar — seu irmão comentou, com o mesmo olhar inquisidor.

— Eu falava como se o Dr. Watson fosse um morador, em vez de apenas um visitante — ela disse. — Não deve lhe importar muito se é cedo ou tarde para as orquídeas. Mas o senhor nos acompanhará, não, para ver Merripit House?

Uma breve caminhada nos levou até lá, uma casa sombria dos pântanos, anteriormente a fazenda de algum criador de gado, nos dias prósperos de antanho, mas agora reformada e convertida em moradia moderna. Um pomar a rodeava, mas as árvores, como é comum no pântano, eram tortuosas e podadas, e o efeito do lugar todo era ruim e melancólico. Fomos recebidos por um velho criado estranho, murcho, vestindo uma casaca cor de ferrugem, que parecia combinar com a casa. Lá dentro, porém, havia grandes salas decoradas com uma elegância na qual eu parecia reconhecer o gosto da dama. Enquanto eu olhava pelas janelas o interminável pântano salpicado de granito, estendendo-se ininterrupto até o mais distante horizonte, não pude deixar de me perguntar o que teria motivado aquele homem tão instruído e aquela linda mulher a morarem num lugar assim.

— Lugarzinho esquisito para se escolher, não? — ele disse, como que em resposta ao meu pensamento. — No entanto, conseguimos ser bastante felizes aqui, não é, Beryl?

— Muito felizes — ela disse, mas não havia convicção em suas palavras.

— Eu tinha uma escola — disse Stapleton. — Ficava no Norte. Aquele trabalho, para um homem do meu temperamento, era mecânico e desinteressante, mas o privilégio de conviver com a juventude, de ajudar a moldar aquelas mentes jovens e imprimir sobre elas o próprio caráter e ideais, me era muito caro. No entanto, o destino estava contra nós. Uma grave epidemia alastrou-se pela escola, e três dos meninos morreram. A instituição nunca se recuperou do golpe, e boa parte do meu capital foi irremediavelmente tragado. Todavia, se não fosse pela perda da encantadora companhia dos meninos, eu poderia rejubilar-me com meu infortúnio, pois com meu forte pendor para a botânica e a zoologia, encontro um campo ilimitado de trabalho aqui, e minha irmã é tão devotada à natureza quanto eu. Todo este discurso, Dr. Watson, foi causado pela sua expressão ao observar o pântano de nossa janela.

— De fato, passou-me pela cabeça que talvez pudesse ser um pouco tedioso; menos para o senhor, talvez, do que para sua irmã.

— Não, eu jamais fico entediada — ela disse rapidamente.

— Temos livros, temos nossos estudos e temos vizinhos interessantes. O Dr. Mortimer é um homem muito culto em sua especialidade. O pobre Sir Charles também era uma companhia admirável. Nós o conhecíamos bem, e sentimos sua falta mais do que consigo expressar. Acha que seria intrusão minha visitar a mansão hoje à tarde e conhecer Sir Henry?

— Tenho certeza de que ele ficaria encantado.

— Então talvez o senhor possa lhe mencionar minha intenção. Podemos, à nossa maneira humilde, fazer algo para facilitar-lhe as coisas até que ele se acostume ao seu novo ambiente. Gostaria de subir, Dr. Watson, e inspecionar minha coleção de lepidópteros? Acho que é a mais completa do sudoeste da Inglaterra. Quando tiver terminado, o almoço estará quase pronto.

Mas eu estava ansioso para voltar ao meu encargo. A melancolia do pântano, a morte do desventurado pônei, o estranho som que fora associado com a lenda macabra dos Baskerville — todas essas coisas tingiam de tristeza os meus pensamentos. Então, somando-se a essas impressões mais ou menos vagas, viera o claro e distinto aviso da Srta. Stapleton, enunciado com tão intensa franqueza que eu não podia duvidar de que houvesse algum motivo grave e profundo por trás dele. Resisti a todas as pressões para permanecer e almoçar, e imediatamente me pus no rumo de volta, seguindo o caminho gramado por onde viéramos.

Parecia, no entanto, haver algum atalho para quem conhecia o lugar, porque antes que eu chegasse à estrada, fiquei assombrado ao ver a Srta. Stapleton sentada numa rocha à margem da trilha. Seu rosto estava lindamente ruborizado pelo esforço, e ela mantinha a mão na cintura.

— Corri o caminho todo para interceptá-lo, Dr. Watson — ela disse. — Não tive nem tempo de pôr meu chapéu. Não posso me demorar, ou meu irmão dará pela minha falta. Eu queria dizer como lamento o tolo erro que cometi ao pensar que o senhor fosse Sir Henry. Por favor, esqueça as palavras que eu disse, que não têm qualquer validade para o senhor.

— Mas não posso esquecê-las, Srta. Stapleton — eu disse. — Sou amigo de Sir Henry, e seu bem-estar muito me preocupa. Diga-me por que estava tão ansiosa para que Sir Henry voltasse para Londres.

— Um capricho feminino, Dr. Watson. Quando me conhecer melhor, entenderá que nem sempre posso apresentar motivos para o que falo ou faço.

— Não, não. Eu me lembro da urgência em sua voz. Lembro-me do seu olhar. Por favor, por favor, seja franca comigo, Srta. Stapleton, pois desde que cheguei aqui, tomei consciência de sombras ao meu redor. A vida se tornou como o grande Charco de Grimpen, com pequenas manchas verdes em toda parte, nas quais se pode afundar e sem nenhum guia para apontar o caminho. Conte-me, então, o que quis dizer com aquilo, e prometo levar seu aviso a Sir Henry.

Uma expressão de indecisão passou por um instante por seu rosto, mas seus olhos endureceram de novo quando ela me respondeu.

— O senhor dá importância demais àquilo, Dr. Watson — ela disse. — Meu irmão e eu ficamos muito chocados com a morte de Sir Charles. Éramos seus amigos íntimos, uma vez que seu passeio favorito era cruzar o pântano até nossa casa. Ele estava profundamente impressionado com a maldição que pendia sobre a família, e quando essa tragédia aconteceu, naturalmente senti que deveria existir algum fundamento nos temores que ele manifestara. Fiquei aflita, portanto, quando outro membro da família veio morar aqui, e achei que ele deveria ser avisado do risco que correria. Era só isso que eu pretendia comunicar.

— Mas qual é o risco?

— Conhece a história do cão?

— Eu não acredito nessas bobagens.

— Mas eu acredito. Se o senhor tem qualquer influência sobre Sir Henry, leve-o embora de um lugar que sempre foi fatal para a sua família. O mundo é grande. Por que ele iria querer morar no lugar do perigo?

— Porque *é* o lugar do perigo. Essa é a natureza de Sir Henry. Infelizmente, a menos que a senhorita possa me dar alguma informação mais definida, será impossível demovê-lo.

— Não posso dizer nada definido porque não sei nada definido.

— Quero fazer mais uma pergunta, Srta. Stapleton. Se sua intenção era só essa quando falou comigo, por que não quis que seu irmão ouvisse o que estava me dizendo? Não há nada nisso a que ele, ou qualquer outro, poderia se opor.

— Meu irmão está muito ansioso para que a mansão seja habitada, pois acha que isso é para o bem do pobre povo do pântano. Ele ficaria furioso se soubesse que eu disse algo que poderia induzir Sir Henry a ir embora. Mas já cumpri o meu dever, agora, e não direi mais nada. Preciso voltar, ou ele dará pela minha falta e desconfiará que vim ver o senhor. Adeus! — Ela se virou e desapareceu em poucos minutos entre os pedregulhos espalhados, enquanto eu, com a alma cheia de vagos temores, segui de volta para Baskerville Hall.

oito
O PRIMEIRO RELATÓRIO DO DR. WATSON

Deste ponto em diante, seguirei o curso dos acontecimentos transcrevendo minhas próprias cartas para o Sr. Sherlock Holmes, que estão diante de mim sobre a mesa. Uma página está faltando, mas à parte isso, estão exatamente como foram escritas, e mostram meus sentimentos e suspeitas da época com mais precisão do que minha memória — por mais clara que seja sobre esses acontecimentos trágicos — é capaz de fazer.

Baskerville Hall, 13 de outubro

Meu caro Holmes,

Minhas cartas e telegramas anteriores mantiveram você muito bem atualizado quanto a tudo o que aconteceu neste canto do mundo tão esquecido por Deus. Quanto mais tempo fica-se aqui, mais o espírito do pântano penetra na alma, com sua imensidão e também seu encanto sombrio.

Uma vez que se está em seu seio, deixa-se para trás qualquer sinal da Inglaterra moderna, mas, por outro lado, tem-se consciência em toda parte dos lares e do trabalho do povo pré-histórico. Por todos os lados, ao andar, veem-se as casas dessa gente esquecida, com seus túmulos e os enormes monólitos que supostamente marcavam seus templos. Ao olharmos para suas cabanas de pedra cinza apoiadas nas encostas castigadas dos morros, deixamos nossa era para trás, e se víssemos um homem peludo, trajando peles de animais, saindo de uma das portas baixas, ajustando uma seta com ponta de pedra lascada sobre a corda de seu arco, sentiríamos que sua presença ali é mais natural do que a nossa. O estranho é que eles tenham habitado tão densamente o que deve sempre ter sido um solo assaz infrutífero. Não sou historiador, mas posso imaginar que eram um povo pacífico e perseguido, obrigado a aceitar o lugar que nenhum outro iria querer ocupar.

Tudo isso, porém, é alheio à missão de que você me incumbiu, e provavelmente muito desinteressante para o seu cérebro, tão austeramente prático. Ainda me lembro de sua completa indiferença quanto ao sol girar ao redor da Terra ou a Terra ao redor do sol. Permita-me, portanto, retornar aos fatos relativos a Sir Henry Baskerville.

Se você não recebeu nenhum relatório nos últimos dias, é porque até hoje não houve nada de importante a relatar. Então, uma circunstância muito surpreendente ocorreu, que

O PRIMEIRO RELATÓRIO DO DR. WATSON

narrarei no momento azado. Mas antes de mais nada, preciso pôr você em contato com alguns outros fatores da situação.

Um desses, sobre o qual pouco falei, é o preso foragido no pântano. Agora existem fortes razões para crer que ele foi embora, o que é um alívio considerável para os habitantes solitários desta região. Uma quinzena se passou desde sua fuga, durante a qual ele não foi visto e nada se soube dele. É certamente inconcebível que ele possa ter-se mantido no pântano durante todo esse tempo. Naturalmente, esconder-se ali não apresenta dificuldade alguma. Qualquer uma daquelas cabanas de pedra fornecer-lhe-ia um lugar para se ocultar. Mas não há nada ali para comer, a menos que ele conseguisse capturar e abater uma das ovelhas do pântano. Achamos, portanto, que ele se foi, e os fazendeiros mais distantes dormem melhor em decorrência disso.

Somos quatro homens saudáveis nesta casa, portanto, estaríamos bem aptos a nos defender, mas confesso que tive momentos de desconforto ao pensar nos Stapleton. Eles moram a quilômetros de qualquer ajuda. São uma criada, um velho serviçal e o casal de irmãos, sendo que o irmão não é um homem muito forte. Ficariam indefesos nas mãos de um sujeito desesperado como esse criminoso de Notting Hill, se ele conseguisse forçar sua entrada. Tanto Sir Henry quanto eu estávamos preocupados com a situação deles, e sugeriu-se que Perkins, o pajem, fosse pernoitar ali, mas Stapleton não quis nem saber disso.

O fato é que nosso amigo baronete começa a demonstrar um interesse considerável pela nossa bela vizinha. Não é de se admirar, já que o tempo custa a passar num lugar ermo assim para um jovem ativo como ele, e ela é uma mulher deveras fascinante e linda. Há algo de tropical e exótico nela, que forma um constraste singular com seu frio e impassível irmão. No entanto, ele também dá a entender que possui um fogo oculto. Certamente tem uma influência muito visível sobre ela, pois já a vi olhar de relance para ele repetidas vezes enquanto falava, como se estivesse buscando aprovação para o que dizia. Acredito que ele seja gentil com ela. Há um brilho seco em seu olhar e uma firmeza em seus lábios finos, que denotam uma natureza positiva e quiçá ríspida. Você o acharia um estudo interessante.

Ele veio visitar Baskerville Hall naquele primeiro dia, e na manhã seguinte mesmo nos levou para mostrar o lugar onde a lenda do perverso Hugo supostamente se originou. Foi uma excursão de alguns quilômetros pântano adentro, até um lugar que é tão desolador que pode ter sugerido a história. Encontramos um curto vale entre rochedos ásperos que levava a um espaço aberto e gramado, pontilhado de branco algodão selvagem. No meio dele se erguiam duas grandes pedras, gastas e afiadas no topo até parecerem as presas imensas e corroídas de alguma fera monstruosa. Em todos os aspectos, o lugar correspondia ao cenário da antiga tragédia. Sir Henry ficou muito interessado e perguntou mais de uma vez a Stapleton se ele realmente acreditava na possibilidade da interferência do sobrenatural nos assuntos dos homens. Falava em tom jocoso, mas era evidente que levava aquilo muito a sério. Stapleton era contido em suas respostas, mas facilmente percebia-se que ele dizia menos do que poderia, e que não manifestava totalmente sua opinião em consideração aos sentimentos do baronete. Ele falou de casos similares em que famílias sofreram alguma influência maligna, e deixou-nos com a impressão de que partilhava a opinião popular sobre o assunto.

Ao voltarmos, ficamos para o almoço em Merripit House, e foi ali que Sir Henry conheceu a Srta. Stapleton. Desde o primeiro momento que a viu, pareceu fortemente atraído por ela, e se eu não estiver muito enganado, o sentimento foi recíproco. Ele referiu-se a ela repetidas vezes enquanto caminhávamos para casa, e desde então, raramente passou um dia sem que não encontrássemos o casal de irmãos. Eles jantarão aqui hoje à noite, e cogita-se irmos visitá-los semana que vem. Imaginar-se-ia que tal união seria vista com muito bons olhos por Stapleton, e no entanto mais de uma vez surpreendi uma expressão da mais forte desaprovação em seu rosto quando Sir Henry dedicava alguma atenção à sua irmã. Ele é muito ligado à jovem, sem dúvida, e levaria uma vida solitária sem ela, mas pareceria o ápice do egoísmo se ele se interpusesse, impedindo-a de concretizar um enlace tão desejável. Todavia, tenho certeza de que ele não deseja que essa intimidade frutifique num amor, e repetidas vezes observei que ele se esforça para impedir um *tête-à-tête* dos dois. A propósito, suas instruções para que eu jamais permita que Sir Henry saia sozinho tornar-se-ão muito mais onerosas se um romance for acrescentado às nossas outras dificuldades. Minha popularidade logo seria abalada se eu tivesse que cumprir tais ordens à letra.

    Outro dia — quinta-feira, para ser mais exato — o Dr. Mortimer almoçou conosco. Ele estava escavando um túmulo antigo em Long Down e encontrou um crânio pré-histórico que o encheu de incontida alegria. Jamais vi um entusiasta mais determinado! Os Stapleton chegaram depois, e o bom doutor levou todos para a Alameda dos Teixos, a pedido de Sir Henry, para nos mostrar exatamente como tudo aconteceu na noite fatal. É um passeio longo e desolador, a Alameda dos Teixos, entre duas altas paredes de cerca-viva podada, com uma estreita faixa de grama de cada lado. Na outra extremidade há uma velha casa de veraneio caindo aos pedaços. Na metade do caminho fica a cancela para o pântano onde o velho cavalheiro deixou cair a cinza do seu charuto. É branca, de madeira, com um ferrolho. Além dela se estende o amplo pântano. Eu me lembrei de sua teoria sobre o caso e tentei imaginar tudo o que aconteceu. Enquanto o velho estava parado ali, viu algo vindo pelo pântano, algo que o aterrorizou a tal ponto que ele perdeu o controle e correu e correu até morrer de puro horror e exaustão. Lá estava o longo e sombrio túnel pelo qual ele fugiu. E do quê? De um cão pastor do pântano? Ou de uma fera espectral, negra, muda e monstruosa? Houve interferência humana na situação? O pálido e vigilante Barrymore sabia mais do que estava disposto a dizer? Tudo é tênue e vago, mas a sombra escura do crime está por trás de tudo.

Conheci mais um vizinho desde a última vez que escrevi. É o Sr. Frankland, de Lafter Hall, que mora uns seis quilômetros ao sul daqui. É um senhor ancião, de rosto rubro, cabelos brancos, colérico. É apaixonado pela lei britânica, e gastou uma grande fortuna em disputas judiciais. Ele briga pelo simples prazer de brigar, e está igualmente pronto a defender qualquer lado de uma questão, por isso não é de admirar que essa diversão lhe custe tão caro. Às vezes ele bloqueia uma via de acesso e desafia a comunidade a obrigá-lo a abri-la. Outras vezes, destrói com as próprias mãos a cancela de outro e declara que um caminho existia ali desde tempos imemoriais, desafiando o proprietário a processá-lo por sua invasão. Ele é instruído em antigos direitos senhoris e comunitários, e aplica seu conhecimento às vezes em favor dos habitantes de Fernworthy, outras vezes contra eles, de modo que é periodicamente carregado em triunfo pelas ruas da aldeia ou então queimado em efígie, dependendo de sua mais recente investida. Dizem que ele está às voltas com umas sete ações judiciais, no momento, que provavelmente sorverão o que resta de sua fortuna, amputando seu ferrão e tornando-o inofensivo para o futuro. Longe de assuntos da lei, parece um sujeito gentil e de boa índole, e só o menciono porque você insistiu que eu mandasse alguma descrição das pessoas que nos cercam. Ele tem uma ocupação curiosa no momento, pois sendo astrônomo amador, tem um excelente telescópio, com o qual se deita no telhado de sua casa e vasculha o pântano o dia todo na esperança de vislumbrar o preso foragido. Se ele confinasse suas energias a isso, tudo estaria bem, mas há boatos de que ele pretende processar o Dr. Mortimer por abrir uma sepultura sem consentimento dos parentes do falecido, ao exumar o crânio neolítico do túmulo pré-histórico de Long Down. Ele ajuda a tornar nossas vidas menos monótonas, e fornece um pouco de alívio cômico quando este é muito necessário.

E agora, depois de pôr você a par sobre o preso foragido, os Stapleton, o Dr. Mortimer e Frankland, de Lafter Hall, permita-me concluir com o que é mais importante e contar mais sobre o casal Barrymore, e sobretudo acerca do surpreendente desdobramento de ontem à noite.

Antes de mais nada, quanto ao telegrama de teste que você enviou de Londres para se assegurar de que Barrymore estava mesmo aqui. Já expliquei que o testemunho do chefe dos correios demonstra que o teste não teve valor, e que não temos prova alguma a favor ou contra. Contei a Sir Henry em que pé estava a questão, e ele imediatamente, à sua maneira direta, mandou chamar Barrymore e lhe perguntou se ele recebera o telegrama pessoalmente. Barrymore disse que sim.

— O garoto o entregou em suas mãos? — perguntou Sir Henry.

Barrymore pareceu surpreso e considerou a pergunta por um momento.

— Não — ele disse —, eu estava no quarto de despejo naquele momento, e minha esposa o trouxe.

— Você mesmo respondeu?

— Não; eu disse à minha esposa o que responder e ela foi escrever.

À noite, ele voltou ao assunto de moto próprio.

— Não entendi bem o objetivo de suas perguntas hoje de manhã, Sir Henry — ele disse. — Não significam, espero, que fiz algo que abalou sua confiança?

Sir Henry teve que lhe garantir que não era o caso, e pacificá-lo doando-lhe uma parte considerável de seu guarda-roupa, visto que os trajes comprados em Londres já haviam chegado todos.

A Sra. Barrymore me interessa. Ela é uma pessoa pesada e rústica, muito limitada, intensamente respeitável e inclinada ao puritanismo. Seria difícil imaginar alguém menos emotivo. No entanto, contei a você como, na minha primeira noite aqui, eu a ouvi soluçando amargamente, e desde então mais de uma vez observei marcas de lágrimas em seu rosto. Algum sofrimento profundo rói seu coração. Às vezes me pergunto se ela tem a lembrança de alguma culpa a assombrá-la, outras, desconfio que Barrymore seja um tirano doméstico. Sempre achei que havia algo singular e questionável no caráter desse homem, mas a aventura da noite passada confirmou todas as minhas suspeitas.

No entanto, isoladamente, o fato pode parecer corriqueiro. Você sabe que eu não tenho sono muito profundo, e desde que me pus de guarda nesta casa, meu repouso está mais leve do que nunca. Noite passada, por volta das duas da manhã, fui acordado por passos sorrateiros passando pelo meu quarto. Eu me levantei, abri a porta e espiei. Uma longa sombra negra se alongava pelo corredor. Ela era projetada por um homem que andava a passos suaves pela passagem, levando uma vela na mão. Ele estava de camisa e calça, sem nada nos pés. Eu mal podia ver sua silhueta, mas sua estatura revelava tratar-se de Barrymore. Ele andava de forma assaz vagarosa e circunspecta, e havia algo de indescritivelmente culpado e furtivo em toda a sua aparência.

Já contei que o corredor é interrompido pelo balcão ao redor do saguão, mas que continua do outro lado. Esperei até que ele sumisse de vista, e então o segui. Quando cheguei ao balcão, ele já estava no final da outra metade do corredor, e eu pude ver, pelo brilho da luz saindo de uma porta aberta, que ele entrara num dos quartos. Bem, todos aqueles quartos estão sem mobília e desocupados, o que deixava a expedição do mordomo mais misteriosa do que nunca. A luz brilhava firme, como se ele estivesse imóvel. Eu me esgueirei pelo corredor tão silenciosamente quanto pude e espiei pelo canto da porta.

 Vi Barrymore agachado junto à janela, com a vela encostada na vidraça. Seu perfil estava parcialmente virado na minha direção, e seu rosto parecia rígido de expectativa, enquanto fitava a escuridão do pântano. Por alguns minutos ele ficou ali parado, vigiando com atenção. Então soltou um profundo gemido, e com um gesto impaciente, apagou o lume. Regressei incontinenti para o meu quarto, e logo depois ouvi os pés sorrateiros passando mais uma vez, em sua viagem de volta. Muito tempo depois, quando já havia pegado num sono leve, ouvi uma chave girando numa fechadura em algum lugar, mas sem poder determinar de onde vinha o som. O que tudo isso significa, não consigo imaginar, mas há alguma atividade secreta acontecendo nesta casa sombria, sobre a qual cedo ou tarde haveremos de lançar luz. Não tomarei seu tempo com minhas teorias, pois você pediu que eu fornecesse apenas os fatos. Tive uma longa conversa com Sir Henry esta manhã, e preparamos um plano de campanha baseado nas minhas observações da noite passada. Não falarei dele no momento, mas deve transformar meu próximo relatório numa leitura interessante.

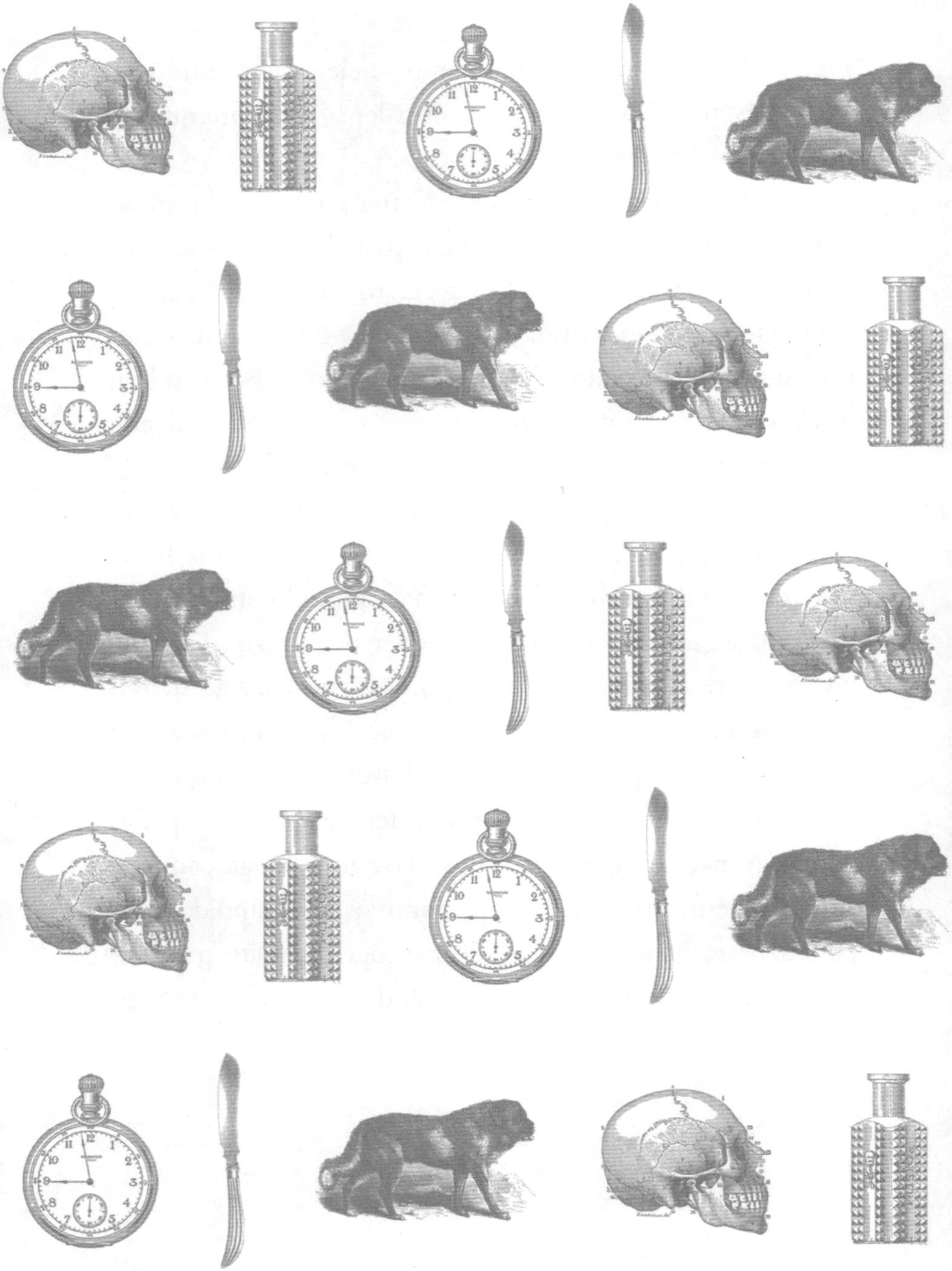

nove
A LUZ EM MEIO AO PÂNTANO
[Segundo relatório do Dr. Watson]

Baskerville Hall, 15 de outubro

Meu caro Holmes,

Se me senti compelido a deixá-lo sem muitas notícias durante os primeiros dias da minha missão, você há de reconhecer que estou compensando o tempo perdido, e que os acontecimentos agora se amontoam densa e rapidamente sobre nós. No meu último relatório, terminei na minha nota mais aguda, com Barrymore na janela, e agora já tenho uma profusão de observações que irão, a menos que eu esteja muito enganado, causar-lhe considerável surpresa. As coisas tomaram um rumo que eu não poderia ter antecipado. Sob certos aspectos, nas últimas 48 horas elas se tornaram muito mais claras, e sob outros, tornaram-se mais complicadas. Mas contar-lhe-ei tudo, e você mesmo julgará.

Antes do desjejum, na manhã seguinte à minha aventura, andei pelo corredor e examinei o quarto onde Barrymore estivera na noite anterior. A janela do lado ocidental, pela qual ele olhava tão atentamente, possuía, eu notei, uma peculiaridade entre todas as outras da casa — é o ponto de observação mais próximo do pântano. Há uma abertura entre duas árvores que permite, daquele ângulo, vê-lo diretamente, enquanto de todas as outras janelas ele não é senão uma visão distante. Segue-se, portanto, que Barrymore, já que somente aquela janela serviria a este propósito, devia estar procurando algo ou alguma coisa no pântano. A noite era muito escura, de forma que não consigo imaginar como ele esperava ver alguém. Veio-me a ideia de que era possível que alguma intriga amorosa estivesse em curso. Isso explicaria seus movimentos sorrateiros e também o desconforto da esposa. O homem tem boa aparência, é muito bem equipado para roubar o coração de alguma garota do campo, então essa teoria parecia ter algum embasamento. A porta se abrindo que eu ouvira depois de regressar ao meu quarto podia significar que ele havia saído para algum encontro clandestino. Era isso que eu dizia a mim mesmo pela manhã, e aqui relato a direção das minhas suspeitas, por mais que o resultado possa ter demonstrado que elas eram infundadas.

Mas fosse qual fosse a real explicação dos movimentos de Barrymore, eu sentia que a responsabilidade de guardar segredo sobre elas até poder explicá-las era mais do que eu conseguia suportar. Tive um colóquio com o baronete em seu escritório depois do desjejum e lhe contei tudo o que eu vira. Ele pareceu menos surpreso do que eu esperava.

— Eu sabia que Barrymore perambulava à noite, e já pensei em falar com ele sobre isso — respondeu o baronete. — Duas ou três vezes ouvi seus passos no corredor, indo e vindo, por volta da hora que você mencionou.

— Talvez, então, ele visite toda noite aquela janela em particular — sugeri.

— Talvez. Nesse caso, acho que conseguiríamos vigiá-lo e descobrir o que ele busca. Eu me pergunto o que seu amigo Holmes faria se estivesse aqui.

— Acredito que ele faria exatamente o que você acabou de sugerir — eu disse. — Seguiria Barrymore para ver o que ele faz.

— Então faremos isso juntos.

— Mas ele certamente há de nos ouvir.

— O homem é um tanto surdo, e em todo caso, é um risco que precisamos correr. Ficaremos acordados no meu quarto esta noite, e esperaremos até que ele passe. — Sir Henry esfregou as mãos, comprazido, e era evidente que ele saudava essa aventura como um alívio de sua vida um tanto pacata no pântano.

O baronete estivera em comunicação com o arquiteto que preparara os planos para Sir Charles, e com um grande empreiteiro de Londres, de modo que podemos esperar que grandes mudanças comecem em breve neste lugar. Já vieram decoradores e marceneiros de Plymouth, e é evidente que nosso amigo tem ideias grandiosas, e não pretende poupar esforços ou despesas para restaurar o esplendor de sua família. Quando a casa estiver reformada e redecorada, ele só precisará de uma esposa para completar o quadro. Cá entre nós, há sinais bastante claros de que isso não será problema, se a dama aceitar, pois raramente vi um homem mais encantado com uma mulher do que ele pela nossa bela vizinha, a Srta. Stapleton. No entanto, o curso do verdadeiro amor não é tão suave como seria de se esperar nessas circunstâncias. Hoje, por exemplo, sua superfície foi agitada por uma onda assaz inesperada, que causou ao nosso amigo considerável perplexidade e aborrecimento.

Depois da conversa que mencionei sobre Barrymore, Sir Henry pôs seu chapéu e se preparou para sair. Naturalmente, fiz o mesmo.

— Como, você vem, Watson? — ele perguntou, olhando-me de maneira curiosa.

— Isso depende de você ir ou não para o pântano — eu disse.

— Sim, eu vou.

— Bem, você sabe quais são minhas instruções. Lamento me intrometer, mas você ouviu com quanta ênfase Holmes insistiu para que eu não me afastasse de você, e especialmente para que não vá sozinho ao pântano.

Sir Henry pôs a mão no meu ombro, com um sorriso agradável.

— Meu caro amigo — ele disse —, Holmes, com toda a sua sabedoria, não previu algumas coisa que aconteceram desde que cheguei ao pântano. Entendeu? Tenho certeza de que você seria o último homem no mundo a querer tornar-se um estraga-prazeres. Eu preciso ir sozinho.

Isso me pôs numa situação terrivelmente constrangedora. Eu não sabia o que dizer ou fazer, e antes que pudesse decidir, ele pegou sua bengala e saiu.

Mas quando pensei melhor no assunto, minha consciência me repreendeu amargamente por ter, qualquer que fosse o pretexto, permitido que ele se afastasse de mim. Imaginei o que eu sentiria se precisasse voltar e confessar a você que algum infortúnio ocorrera graças à minha negligência das suas instruções. Garanto que meu rosto ficou em brasa só de pensar nisso. Talvez ainda não fosse tarde demais para alcançá-lo, por isso parti imediatamente na direção de Merripit House.

Apertei o passo pela estrada o mais rápido que pude, sem ver nada de Sir Henry, até chegar ao ponto onde o caminho pelo pântano começa. Ali, temendo talvez ter seguido na direção errada, no fim das contas, subi numa colina da qual podia ver os arredores — a mesma colina que foi cortada pela pedreira escura. Então logo o vi. Ele estava no caminho do pântano, uns quatrocentos metros à frente, e havia uma dama ao seu lado que só podia ser a Srta. Stapleton. Estava claro que já havia um entendimento entre os dois, e que eles haviam marcado um encontro. Caminhavam lentamente, absortos numa conversa, e eu a vi fazendo movimentos rápidos com as mãos, como se estivesse dizendo algo com veemência, enquanto ele ouvia com atenção, agitando a cabeça uma ou duas vezes em enérgica discordância. Mantive-me entre as pedras observando o casal, completamente intrigado sobre o que fazer a seguir. Segui-los e intrometer-me em suas conversas íntimas parecia-me um ultraje, e no entanto meu dever claro era não perder o baronete de vista nem por um instante. Agir como espião com um amigo era uma tarefa odiosa. No entanto, eu não via alternativa melhor do que observá-lo da colina, e aliviar minha consciência confessando-lhe depois o que eu fizera. É verdade que, se algum perigo repentino o ameaçasse, por estar longe demais, eu não seria útil, no entanto, certamente você há de concordar comigo que a minha posição era muito difícil, e que não havia nada mais que eu pudesse fazer.

Nosso amigo Sir Henry e a dama haviam parado no caminho e estavam profundamente absortos em sua conversa, quando repentinamente dei-me conta de que eu não era a única testemunha do colóquio. Uma mancha verde flutuando no ar atraiu minha atenção e, ao olhar de novo, notei que ela era tangida com uma vareta por um homem que se deslocava pelo solo instável. Era Stapleton com sua rede de borboletas. Ele estava muito mais próximo do casal do que eu, e parecia seguir na direção deles. Nesse instante, Sir Henry puxou a Srta. Stapleton para o seu lado de repente. Seu braço cingia-lhe a cintura, mas parecia-me que ela tentava desvencilhar-se dele, com o rosto virado. Ele aproximou sua cabeça da dela, e ela ergueu uma mão, como que protestando. No momento seguinte, eu os vi se separarem e virarem depressa. Stapleton foi a causa da interrupção. Corria loucamente na direção deles, com sua rede absurda pendurada às costas. Ele gesticulava e quase dançava de exaltação diante dos amantes. O que a cena significava, eu não podia imaginar, mas pareceu-me que Stapleton estava insultando Sir Henry, que oferecia explicações e ficava cada vez mais furioso à medida que o outro se recusava a aceitá-las. A dama assistia a tudo num silêncio altivo. Finalmente, Stapleton girou sobre os calcanhares e gesticulou peremptoriamente para a irmã, a qual, após lançar um olhar indeciso para Sir Henry, afastou-se ao lado do irmão. Os gestos furiosos do naturalista mostravam que a dama estava incluída em seu desgosto. O baronete manteve-se por um minuto a observá-los, e então andou lentamente na direção de onde viera, cabisbaixo, o próprio retrato do desânimo.

O que tudo aquilo significava, eu não conseguia imaginar, mas estava profundamente envergonhado por ter assistido a uma cena tão íntima sem o conhecimento do meu amigo. Corri colina abaixo, portanto, e encontrei o baronete ao pé dela. Seu rosto estava rubro de raiva e seu cenho franzido, como alguém que não sabe mais o que fazer.

— Olá, Watson! De onde você surge? — ele disse. — Não me diga que veio atrás de mim, apesar de tudo?

Expliquei tudo a ele: como eu achara impossível ficar para trás, como o seguira e como testemunhara tudo o que havia acontecido. Por um instante, seus olhos me fuzilaram, mas minha franqueza desarmou sua ira, e ele rompeu, por fim, numa risada um tanto amarga.

— Era de se pensar que o meio desta planície seria um lugar razoavelmente seguro para a privacidade de um homem — ele disse —, mas, com mil trovões, a cidade toda parece ter resolvido assistir à minha corte... e uma corte tremendamente malfadada, por sinal! Onde era o seu assento?

— Eu estava naquela colina.

— No fundo do teatro, hein? Mas o irmão dela estava bem na primeira fila. Você o viu nos abordando?

— Sim, vi.

— Já teve a impressão de que ele é louco, esse irmão dela?

— Não posso dizer que tive.

— Ouso discordar. Sempre o achei bastante são, até hoje, mas acredite, um dos dois, ele ou eu, deveria estar metido numa camisa de força. O que há de errado comigo, afinal? Você conviveu de perto comigo por algumas semanas, Watson. Diga-me sinceramente! Há algo que me impeça de ser um bom marido para uma mulher que eu ame?

— Devo dizer que não.

— Ele não pode se opor à minha posição social, então devo ser eu mesmo o motivo de seu desprazer. O que ele tem contra mim? Jamais fiz mal a homem ou mulher alguma em minha vida, que eu saiba. No entanto, ele não me deixa nem tocar na ponta dos dedos dela.

— Ele disse isso?

— Isso e muito mais. Estou dizendo, Watson, só a conheço há poucas semanas, mas desde o início senti que foi feita para mim, e ela também; fica feliz quando está comigo, juro. Há uma luz nos olhos da mulher que fala mais alto do que as palavras. Mas ele nunca nos permitiu nossa união, e foi somente hoje, pela primeira vez, que vi uma oportunidade de trocar algumas palavras com ela a sós. Ela estava feliz por me encontrar, mas quando chegou, não era de amor que queria falar, e ter-me-ia impedido também de falar disso, se pudesse. Repetia sem parar que este é um lugar perigoso e que ela jamais seria feliz enquanto eu não partisse. Eu disse a ela que desde que a vi perdi a pressa de ir embora, e que se ela quisesse mesmo que eu fosse, a única maneira de conseguir isso seria preparar-se para ir comigo. Com essas palavras, eu a pedi em casamento, mas antes que ela pudesse responder, chegou aquele irmão dela, correndo em nossa direção com a fisionomia de um louco. Estava branco de raiva, e aqueles seus olhos claros flamejavam com fúria. O que eu estava fazendo com a dama? Como eu ousava oferecer-lhe minhas atenções, que tanto a desagradavam? Eu achava que, por ser um baronete, podia fazer o que quisesse? Se não fosse irmão dela, eu bem saberia como lhe responder. Em vez disso, falei que meus sentimentos por sua irmã não me causavam vergonha, e que eu esperava que ela me concedesse a honra de ser minha esposa. Isso pareceu não melhorar em nada a questão, então também perdi as estribeiras e respondi um pouco mais acaloradamente do que deveria, talvez, considerando que ela estava presente. Assim, o encontro acabou com ele levando-a embora, como você viu, e aqui estou, o homem mais intrigado destas redondezas. Diga-me só o que tudo isso significa, Watson, e dever-lhe-ei mais do que jamais espero poder pagar.

Arrisquei uma ou duas explicações, mas, de fato, eu também estava completamente intrigado. O título do nosso amigo, sua fortuna, sua idade, seu caráter e sua aparência, tudo estava a seu favor, e não sei de nada contra ele, a não ser esse destino macabro que assola a sua família. O fato de seus votos serem repelidos tão bruscamente sem referência alguma aos desejos da dama, e de a dama aceitar a situação sem protestar, é assaz surpreendente. No entanto, nossas conjecturas foram aplacadas por uma visita do próprio Stapleton naquela mesma tarde. Ele veio oferecer suas desculpas pela grosseria da manhã, e depois de um longo diálogo em particular com Sir Henry em seu escritório, o resultado da conversa foi que a ferida está curada, e vamos jantar em Merripit House na próxima sexta-feira como prova disso.

— Não digo, agora, que ele não seja louco — comentou Sir Henry —; não consigo esquecer o seu olhar quando ele investiu contra mim hoje de manhã, mas devo admitir que ninguém seria capaz de oferecer uma retratação mais elegante que a dele.

— Ele deu alguma explicação para a sua conduta?

— A irmã é tudo na sua vida, ele diz. Isso é bastante natural, e fico feliz que ele entenda o valor dela. Os dois sempre estiveram juntos, e segundo o que Stapleton diz, ele é um homem muito solitário, ela é sua única companhia, portanto, a ideia de perdê-la afigurou-se-lhe realmente terrível. Ele não havia percebido, segundo disse, que eu estava me apegando a ela, mas quando viu com seus próprios olhos que esse era mesmo o caso, e que alguém poderia tirá-la dele, o choque foi tamanho que por um momento ele não foi responsável pelo que disse ou fez. Lamentou muito tudo o que aconteceu e reconheceu quão tolo e egoísta era de sua parte imaginar que poderia manter uma mulher linda como sua irmã ao seu lado pelo resto da vida. Se tivesse que abrir mão dela, preferia que fosse para um vizinho como eu do que para qualquer outro. Mas, em todo caso, isso fora um golpe para ele, e ele precisaria de mais algum tempo para se preparar. Retiraria qualquer oposição de sua parte se eu prometesse deixar o assunto de lado por três meses e contentar-me em cultivar a amizade da dama, durante esse tempo, sem reivindicar o seu amor. Isso eu prometi, e estamos nesse pé.

Portanto, aí está um dos nossos pequenos mistérios esclarecido. Já é alguma coisa ter tocado o fundo em qualquer parte deste lodaçal em que nos metemos. Sabemos agora por que Stapleton era desfavorável ao pretendente da irmã — mesmo quando esse pretendente era alguém tão desejável como Sir Henry. E agora, passo a outro fio que consegui desemaranhar da confusa meada, o mistério dos soluços à noite, do rosto lacrimoso da Sra. Barrymore, da ida secreta do mordomo para a janela do lado ocidental. Parabenize-me, meu caro Holmes, e diga-me que não decepcionei você como seu agente — que você não se arrepende da confiança que mostrou ter em mim ao me mandar para cá. Todas estas coisas foram totalmente esclarecidas com uma noite de trabalho.

Eu disse "uma noite de trabalho", mas na verdade foram duas noites, pois na primeira demos inteiramente com os burros n'água. Fiquei acordado com Sir Henry em seus aposentos até quase três horas da madrugada, mas nenhum som de qualquer tipo ouvimos, a não ser o relógio batendo as horas na escada. Foi uma vigília deveras melancólica, e acabou quando ambos pegamos no sono em nossas poltronas. Felizmente, não desanimamos e resolvemos tentar de novo. Na noite seguinte, baixamos a lâmpada e ficamos fumando cigarros, sem fazer o menor ruído. Era incrível quão lentamente as horas se arrastavam; no entanto, fomos ajudados na tarefa pela mesma espécie de interesse paciente que o caçador deve sentir ao vigiar a arapuca na qual espera que a caça entre. Bateu a uma, as duas, e estávamos quase para desistir pela segunda vez, em desespero, quando num instante ambos nos empertigamos nas poltronas, com todos os nossos sentidos cansados agudamente alertas mais uma vez. Havíamos ouvido o ranger de um passo no corredor.

Mui sorrateiramente nós o ouvimos passar, até que ele desapareceu com a distância. Então o baronete abriu a porta com cuidado, e pusemo-nos no seu encalço. Nosso homem já havia virado a esquina da galeria, e o corredor estava todo às escuras. Pé ante pé nos esgueiramos, até chegarmos à outra ala. Foi bem a tempo de vislumbrar de relance a figura alta e barbuda, com os ombros encolhidos, andando na ponta dos pés pela passagem. Então ele entrou na mesma porta de antes, e a luz da vela a destacou na escuridão e lançou um único raio amarelo pela penumbra do corredor. Aproximamo-nos cautelosamente da porta, sondando cada tábua do assoalho antes de ousar apoiar todo o nosso peso sobre ela. Havíamos tomado a precaução de deixar nossas botas para trás, mas mesmo assim, as velhas tábuas estalavam e rangiam sob nossos passos. Às vezes parecia impossível ele não ouvir nossa aproximação. Todavia, o homem é, por sorte, um tanto surdo e se encontrava totalmente concentrado no que estava fazendo. Quando finalmente chegamos à porta e espiamos, encontramo-lo agachado perto da janela, com a vela na mão e o rosto branco e atento encostado na vidraça, exatamente como eu o vira duas noites antes.

Não havíamos preparado plano algum, mas o baronete é o tipo de homem para quem a abordagem mais direta é sempre a mais natural. Ele entrou no quarto, e quando o fez, Barrymore saltou de pé da janela, chiando ao inspirar com força, e ficou imóvel, lívido e trêmulo diante de nós. Seus olhos escuros, fitando-nos da máscara pálida do seu rosto, estavam cheios de horror e assombro, saltando de Sir Henry para mim.

— O que está fazendo aqui, Barrymore?

—- Nada, senhor. — Sua agitação era tão grande que ele mal conseguia falar, e as sombras se agitavam com o tremor de sua vela. — É a janela, senhor. Eu faço uma ronda à noite para ver se estão todas travadas.

— No segundo andar?

— Sim, senhor, todas as janelas.

— Olhe aqui, Barrymore — disse Sir Henry severamente —, já decidimos que arrancaremos a verdade de você, então poupará seus esforços se a revelar logo, em vez de demorar. Vamos lá! Sem mentiras! O que estava fazendo nessa janela?

O camarada nos olhou com ar desolado, torcendo as mãos como alguém que está num paroxismo extremo de dúvida e angústia.

— Eu não estava fazendo nenhum mal, senhor. Estava segurando uma vela na janela.

— E por que estava segurando uma vela na janela?

— Não me pergunte, Sir Henry... não me pergunte! Dou minha palavra, senhor, de que esse segredo não é meu, e não posso revelá-lo. Se dissesse respeito senão a mim, eu não tentaria escondê-lo do senhor.

Uma ideia repentina me ocorreu, e eu peguei a vela da sacada da janela, onde o mordomo a deixara.

— Ele devia estar fazendo um sinal — eu disse. — Vamos ver se há alguma resposta.

Eu a segurei como ele a segurara e olhei para a escuridão da noite. Discernia vagamente o volume escuro das árvores e a vastidão mais clara do pântano, pois a lua despontava por detrás das nuvens. E então exultei com um grito, porque um pontinho minúsculo de luz amarela havia perfurado repentinamente o escuro véu, e brilhava firme no meio do quadrado preto formado pela janela.

— Lá está! — gritei.

— Não, não, senhor, não é nada... absolutamente nada! — o mordomo interrompeu. — Eu lhe asseguro, senhor...

— Mova a luz diante da janela, Watson! — exclamou o baronete. — Veja, a outra se move também! Agora, seu patife, você nega que é um sinal? Vamos, fale! Quem é seu comparsa lá embaixo e que conspiração é essa que está acontecendo?

O rosto do homem se tornou abertamente desafiador.

— É assunto meu, não seu. Não vou contar.

— Então deixará de trabalhar para mim imediatamente.

— Muito bem, senhor. Se é preciso, é preciso.

— E cairá em desgraça. Com mil trovões, deveria se envergonhar. Sua família conviveu com a minha por mais de cem anos sob este teto, e agora o encontro metido em alguma trama sombria contra mim.

— Não, não, senhor; não, não contra o senhor!

Era uma voz feminina, e a Sra. Barrymore, mais pálida e horrorizada que o marido, estava na porta. Sua figura volumosa de xale e saia poderia ser cômica, não fosse a intensidade do sentimento estampado em seu rosto.

— Precisamos ir embora, Eliza. Acabou. Pode fazer as nossas malas — disse o mordomo.

— Oh, John, John, levei você a isso? É minha culpa, Sir Henry... toda minha. Ele não fez nada que não fosse por mim, e porque lhe pedi.

— Fale de uma vez, então! O que significa isso?

— Meu desventurado irmão está morrendo de fome no pântano. Não podemos deixar que ele morra à nossa porta. A vela é um sinal de que sua comida está pronta, e sua luz lá longe indica o lugar para onde devemos levá-la.

— Então seu irmão é...

— O preso foragido, senhor. Selden, o criminoso.

— É verdade, senhor — disse Barrymore. — Eu falei que não era meu segredo e que não podia lhe contar. Mas agora o senhor ouviu, e verá que se havia uma trama, não era contra o senhor.

Essa, portanto, é a explicação das expedições noturnas à sorrelfa e da luz na janela. Sir Henry e eu olhávamos para a mulher, estupefatos. Era possível que aquela pessoa tão solidamente respeitável tivesse o mesmo sangue de um dos mais famigerados criminosos do país?

— Sim, senhor, meu sobrenome era Selden, e ele é meu irmão mais novo. Nós o mimamos demais quando era menino, e cedemos em tudo, até que ele começou a achar que o mundo fora criado para seu deleite, e que poderia fazer nele o que bem entendesse. Então, quando ele cresceu, encontrou más companhias, e o demônio o possuiu, até que ele partiu o coração da minha mãe e jogou nosso nome na lama. De crime em crime, foi se afundando cada vez mais, até que só a misericórdia divina o subtraiu ao cadafalso; mas para mim, senhor, ele será sempre o menino de cabelo cacheado de quem eu cuidava e com quem eu brincava, como convém a uma irmã mais velha. Foi por isso que ele fugiu da prisão, senhor. Sabia que eu estava aqui, e que não nos recusaríamos a ajudá-lo. Quando ele se arrastou até aqui uma noite, exausto e faminto, com os guardas nos seus calcanhares, o que podíamos fazer? Trouxemos o pobre para dentro, alimentamo-lo e cuidamos dele. Então o senhor voltou, e meu irmão achou que estaria mais seguro no pântano do que em qualquer outro lugar até que o alvoroço terminasse, por isso escondeu-se ali. Mas noite sim, noite não, verificamos se ele continua ali pondo uma luz na janela, e quando há uma resposta, meu marido lhe leva um pouco de pão e carne. Todo dia esperamos que ele tenha ido embora, mas enquanto continuar ali, não podemos abandoná-lo. Eis toda a verdade, por minha fé de cristã honesta, e o senhor entenderá que se alguém teve culpa nesse caso, não foi o meu marido, mas eu, pois ele fez tudo o que fez por mim.

As palavras da mulher tinham uma intensa franqueza que as enchia de convicção.

— Isso é verdade, Barrymore?

— Sim, Sir Henry. Cada palavra.

— Bem, não posso culpá-lo por defender sua esposa. Esqueça o que eu disse. Vão para o seu quarto, vocês dois, e falaremos mais desse assunto pela manhã.

Depois que eles se foram, olhamos pela janela de novo. Sir Henry a havia escancarado, e o frio vento da noite batia em nossos rostos. Ao longe, na escuridão distante, ainda brilhava aquele pontinho solitário de luz amarela.

— Admira-me a ousadia dele — disse Sir Henry.

— Talvez esteja colocada de forma a ser visível somente daqui.

— Bem provável. A que distância você acha que está?

— Perto do Rochedo Partido, imagino.

— A menos de três quilômetros.

— Muito menos.

— Bem, não deve ser tão longe, se Barrymore levava comida até lá. E ele está esperando, o vilão, ao lado daquela vela. Com mil trovões, Watson, vou sair e capturar esse homem!

A mesma ideia havia-me passado pela mente. O casal Barrymore não havia exatamente confidenciado conosco. O segredo lhes fora arrancado. O homem era um perigo para a comunidade, um inegável canalha que não merecia piedade ou justificativas.

Só estaríamos cumprindo nosso dever ao aproveitar essa oportunidade de colocá-lo onde ele não poderia fazer mal. Com sua natureza brutal e violenta, outros pagariam se não agíssemos. Uma noite, por exemplo, nossos vizinhos, os Stapleton, talvez fossem atacados por ele, e pode ter sido esse pensamento que causou tal determinação em Sir Henry para a aventura.

— Irei também — eu disse.

— Então pegue seu revólver e calce suas botas. Quanto mais cedo partirmos, melhor, pois o sujeito pode apagar sua luz e ir embora.

Em cinco minutos, estávamos do lado de fora, partindo para nossa expedição. Corremos entre os arbustos escuros, em meio aos gemidos monótonos do vento outonal e o farfalhar das folhas que caíam. O ar noturno estava carregado do cheiro de umidade e podridão. De vez em quando, a lua aparecia por um instante, mas as nuvens corriam pelo céu, e assim que chegamos ao pântano, uma chuva fina começou a cair. A luz continuava brilhando lá na frente.

— Você está armado? — perguntei.

— Tenho um chicote de caça.

— Precisamos nos aproximar rapidamente, porque dizem que ele é um sujeito desesperado. Vamos atacá-lo de surpresa e tê-lo à nossa mercê antes que possa resistir.

— Diga, Watson — exclamou o baronete —, o que Holmes acharia disso? E a tal hora tenebrosa em que o poder do mal está exaltado?

O CÃO DOS BASKERVILLE

Como que em resposta às suas palavras, chegou repentinamente da vasta escuridão do pântano aquele estranho som que eu já ouvira à beira do grande Charco de Grimpen. Ele veio com o vento através do silêncio da noite, um murmúrio longo e profundo, depois um uivo crescente, e então o triste gemido a que se reduzia. Mais e mais vezes ele ecoou, fazendo o ar todo pulsar, estridente, selvagem e ameaçador. O baronete segurou minha manga, e seu rosto brilhou, pálido, em meio às trevas.

— Pelos céus, o que é isso, Watson?

— Não sei. É um som aqui do pântano. Já o ouvi uma vez.

O uivo foi diminuindo, e um silêncio absoluto fechou-se sobre nós. Ficamos parados, aguçando os ouvidos, mas nada veio.

— Watson — disse o baronete —, era o uivo de um cão.

Meu sangue gelou nas veias, pois havia um tremor em sua voz que revelava o horror repentino que o acometera.

— Como chamam esse som? — ele perguntou.

— Quem?

— A gente do campo.

— Ora, eles são uns ignorantes. Por que se importa com o nome que dão a isso?

— Fale, Watson. O que eles dizem?

Eu hesitei, mas não podia fugir da pergunta.

— Dizem que é o uivo do Cão dos Baskerville.

Ele gemeu e ficou em silêncio por alguns instantes.

— E era um cão — ele disse finalmente —, mas parecia estar a quilômetros naquela direção, acho.

— É difícil dizer de onde veio.

— Aumentava e diminuía com o vento. O grande Charco de Grimpen não fica naquela direção?

— Fica, sim.

— Bem, foi dali. Vamos, Watson, você mesmo não achou que fosse o uivo de um cão? Não sou criança. Não precisa ter medo de dizer a verdade.

— Stapleton estava comigo quando o ouvi. Ele disse que pode ser o canto de um pássaro estranho.

— Não, não, era um cão. Meu Deus, será que todas essas histórias têm um fundo de verdade? Será possível que uma causa tão sombria realmente me ameaça? Não acredita nisso, certo, Watson?

— Não, não.

— No entanto, era uma coisa rir disso em Londres, e é outra estar aqui, na escuridão do pântano, e ouvir um gemido assim. E o meu tio! Havia a pegada do cão ao lado do seu corpo. Tudo se encaixa. Não me considero um covarde, Watson, mas aquele som pareceu gelar o meu sangue. Sinta a minha mão!

Estava tão fria quanto um pedaço de mármore.

— Você estará bem amanhã.

— Acho que não vou conseguir tirar esse uivo da cabeça. O que você aconselha a fazer agora?

— Vamos voltar?

— Não, com mil trovões, viemos capturar nosso homem, e vamos fazer isso. Estamos no encalço do fugitivo, e um cão infernal, talvez, ou talvez não, está atrás de nós. Vamos! Faremos isso, mesmo que todos os demônios do abismo estejam à solta no pântano.

Cambaleamos lentamente na escuridão, com o pano de fundo negro das colinas acidentadas ao nosso redor, e o ponto amarelo de luz ardendo firme à nossa frente. Não existe nada mais falacioso do que a distância de uma luz numa noite escura como breu, e às vezes o brilho parecia estar bem longe no horizonte, outras vezes, a poucos metros de nós. Mas finalmente pudemos ver de onde ele vinha, e então soubemos que estávamos, de fato, muito perto. Uma vela derretida fora enfiada numa fenda das rochas, que se projetavam de ambos os lados, protegendo-a do vento e também impedindo que fosse visível, a não ser na direção de Baskerville Hall. Um bloco de granito escondia nossa aproximação, e agachados atrás dele, olhávamos para o sinal luminoso. Era estranho ver aquela vela isolada ardendo no meio do pântano, sem nenhum sinal de vida por perto — só a chama amarela e reta e o brilho da rocha de cada lado.

— O que faremos agora? — murmurou Sir Henry.

— Esperaremos aqui. Ele deve estar próximo à sua luz. Vejamos se conseguimos avistá-lo.

As palavras mal haviam saído da minha boca quando ambos o vimos. Sobre as pedras que formavam a fenda onde a vela ardia projetou-se um rosto perverso e amarelo, um terrível rosto animalesco, sulcado e marcado por paixões vulgares. Sujo de lama, com a barba por fazer e o cabelo empapado, poderia perfeitamente pertencer a um dos antigos selvagens que habitavam as tocas nas encostas das colinas. A luz por baixo dele se refletia em seus olhos pequenos e astutos, que fitavam ferozmente a escuridão à direita e à esquerda, como um animal habilidoso e selvagem que ouve os passos dos caçadores.

Algo evidentemente despertara suas suspeitas. Talvez Barrymore tivesse algum sinal secreto que esquecêramos de fazer, ou o sujeito tivesse algum outro motivo para achar que nem tudo estava bem, mas eu podia ver seus temores naquele rosto infernal. A qualquer momento, ele poderia se afastar correndo da luz e desaparecer na escuridão. Saltei para a frente, portanto, e Sir Henry fez o mesmo. No mesmo instante, o fugitivo gritou uma praga para nós e lançou uma pedra, que se despedaçou contra o bloco de pedra que nos abrigara. Vi de relance sua silhueta baixa, atarracada, musculosa quando ele saltou de pé e se virou para correr. No mesmo momento, por um golpe de sorte, a lua apareceu entre as nuvens. Corremos para o alto da colina, e lá estava nosso homem, desabalando em grande velocidade encosta abaixo do outro lado, saltando sobre as pedras no caminho com a agilidade de um bode montanhês. Com sorte, um tiro do meu revólver àquela distância poderia feri-lo, mas eu o trouxera apenas para me defender caso fosse atacado, e não para abater um homem desarmado em fuga.

Ambos éramos corredores razoáveis e em boa forma, mas logo descobrimos que não conseguiríamos alcançá-lo. Pudemos vê-lo por muito tempo ao luar, até que se tornou um pontinho movendo-se rapidamente entre os pedregulhos na encosta de uma colina distante. Corremos e corremos até ficarmos completamente sem fôlego, mas a distância entre nós só aumentava. Finalmente paramos e nos sentamos, ofegantes, sobre duas pedras, enquanto o olhávamos desaparecendo a distância.

E foi nesse momento que aconteceu algo assaz estranho e inesperado. Havíamos nos levantado de nossas pedras e íamos começar a voltar, depois de abandonar a inútil perseguição. A lua estava baixa à nossa direita, e a ponta irregular de um rochedo de granito se erguia sob a curva de seu disco dourado. Ali, recortada como uma estátua de ébano sobre aquele fundo brilhante, vi a silhueta de um homem sobre o rochedo. Não pense que era uma ilusão, Holmes. Garanto a você que nunca na vida vi algo mais claramente. Pelo que pude avaliar, a forma era de um homem alto e magro. Estava de pé, com as pernas um pouco separadas, os braços cruzados, a cabeça baixa, como se estivesse vigiando a enorme desolação de turfa e granito diante dele. Poderia ser o próprio espírito daquele lugar terrível. Não era o fugitivo. Esse homem estava distante do lugar onde o criminoso desaparecera. Além disso, era muito mais alto. Com uma exclamação de surpresa, eu o apontei para o baronete, mas no instante em que me virei para agarrar Sir Henry pelo braço, o homem desapareceu. Lá estava o pontiagudo penedo de granito ainda recortando a parte de baixo da lua, mas seu pico não tinha nem sinal daquela figura silenciosa e imóvel.

Eu queria seguir naquela direção e investigar o rochedo, mas a distância era grande. Os nervos do baronete ainda estavam abalados por aquele uivo, que trouxe à lembrança a história macabra de sua família, e ele não estava disposto a empreender novas aventuras. Ele não vira o homem solitário sobre o rochedo, e não pôde sentir a emoção que sua estranha presença e sua atitude austera causaram em mim.

— Um guarda, sem dúvida — ele disse. — O pântano está cheio deles desde que esse sujeito fugiu. — Bem, talvez sua explicação fosse a certa, mas eu gostaria de ter mais alguma prova dela. Hoje pretendemos comunicar aos responsáveis em Princetown onde devem procurar seu foragido, mas é uma pena que tenha nos escapado o triunfo de trazê-lo de volta como nosso prisioneiro.

Essas foram as aventuras da noite passada, e você deve reconhecer, meu caro Holmes, que lhe ajudei muito no que tange a um relatório. Muito do que contei, sem dúvida, é demasiado irrelevante, mas ainda assim, sinto que é melhor apresentar todos os fatos e deixar que você selecione por si mesmo aqueles que julgar mais úteis para ajudá-lo a tirar suas conclusões. Estamos certamente fazendo alguns progressos. Com relação ao casal Barrymore, descobrimos o motivo de suas ações, e isso esclareceu muito a situação. Mas o pântano, com seus mistérios e seus estranhos habitantes, continua inescrutável como sempre. Talvez no meu próximo relatório eu possa lançar alguma luz sobre isso também. O melhor de tudo seria se você pudesse vir nos encontrar.

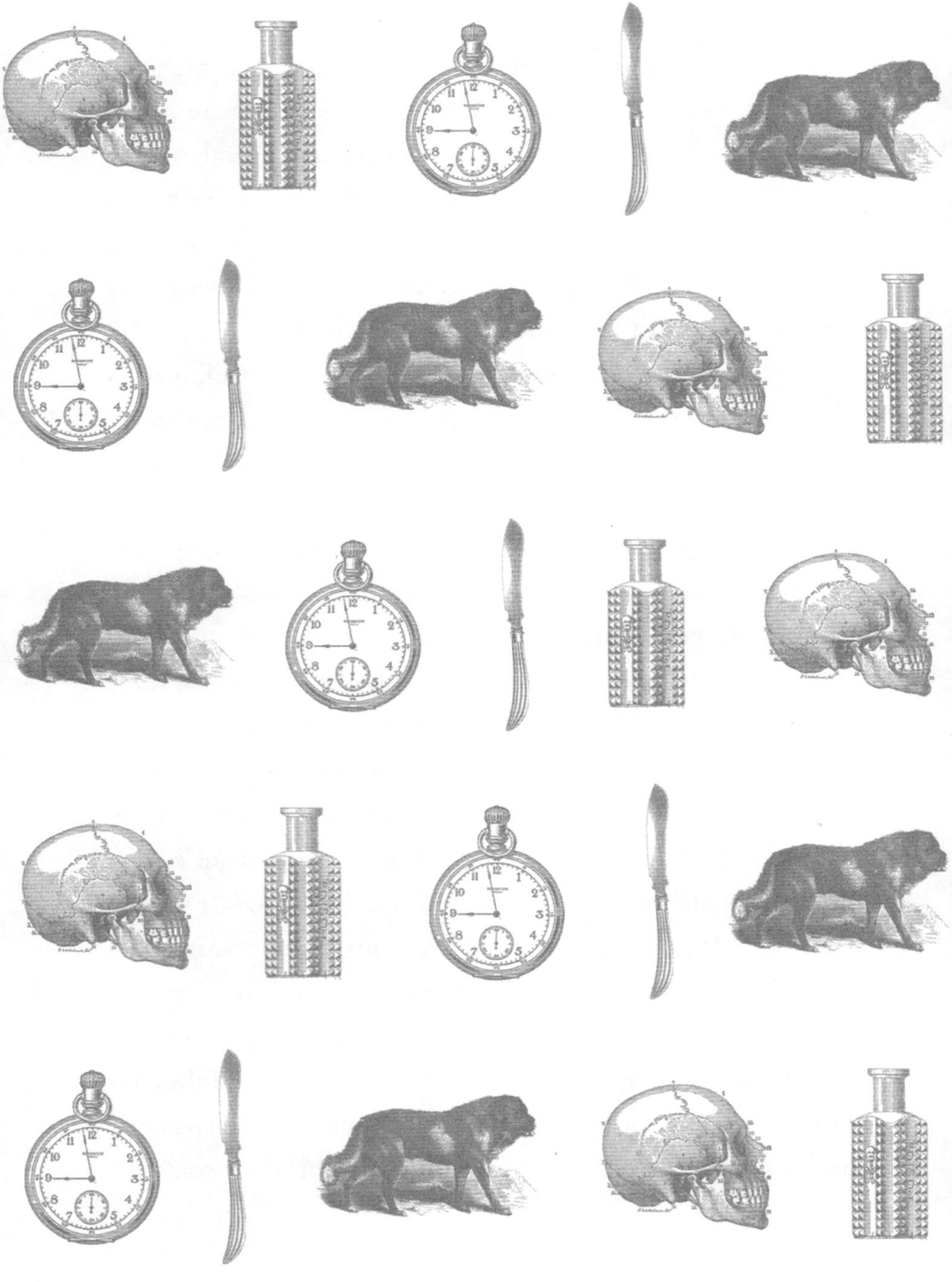

dez
TRECHO DO DIÁRIO DO DR. WATSON

Até aqui foi possível citar os relatórios que encaminhei nestes primeiros dias para Sherlock Holmes. Agora, no entanto, cheguei num ponto da minha narrativa em que me sinto compelido a abandonar esse método e confiar mais uma vez em minhas reminiscências, auxiliado pelo diário que eu compilava na época. Alguns trechos deste último carregar-me-ão até as cenas que estão indelevelmente gravadas nos mínimos detalhes na minha memória. Prossigo, então, a partir da manhã que se seguiu à nossa abortada caça ao foragido e às nossas outras estranhas experiências no pântano.

16 de outubro — Um dia tedioso e enevoado, com chuvisco. A casa está cercada por nuvens em movimento, que se levantam de vez em quando para mostrar as curvas medonhas do pântano, com veios finos e prateados nas encostas das colinas, e os rochedos distantes brilhando onde a luz se reflete em suas faces molhadas. É a melancolia, dentro e fora. O baronete está de péssimo humor, depois das emoções da noite. Eu mesmo tenho consciência de um peso no coração e uma sensação de perigo iminente — perigo onipresente, que é mais terrível porque sou incapaz de defini-lo.

E não tenho motivos para me sentir assim? Considere a longa sequência de incidentes que apontavam todos para alguma influência sinistra em ação ao nosso redor. Há a morte do último residente da mansão preenchendo com tanta exatidão as condições da lenda familiar, e há os repetidos relatos de camponeses da aparição de uma estranha criatura no pântano. Por duas vezes ouvi, com meus próprios ouvidos, o som que parecia o ladrar distante de um cão. É incrível, impossível, que deva realmente ser algo externo às leis normais da natureza. Um cão espectral que deixa pegadas palpáveis e enche o ar com seu uivo certamente não deve nem ser considerado. Stapleton pode cair nessa superstição, e Mortimer também, mas se eu tenho uma qualidade neste mundo é o senso comum, e nada há de me persuadir a acreditar em tal coisa. Seria descer ao nível desses pobres camponeses que não se satisfazem com um mero cão diabólico, mas precisam descrevê-lo com o fogo do inferno saindo da boca e dos olhos. Holmes não daria ouvidos a tais fantasias, e

TRECHO DO DIÁRIO DO DR. WATSON

eu sou seu agente. Mas fatos são fatos, e por duas vezes ouvi aquele uivo no pântano. Suponhamos que realmente houvesse algum cão gigantesco à solta ali; isso ajudaria muito a explicar tudo. Mas onde um cão assim poderia esconder-se, onde arranjaria o que comer, de onde teria vindo, por que ninguém o via de dia?

É preciso confessar que a explicação natural oferece quase tantas dificuldades quanto a outra. E sempre, à parte o cão, há o fato do agente humano em Londres, o homem no táxi, e a carta que alertou Sir Henry sobre o pântano. Isso, ao menos, foi real, mas pode ter sido o trabalho de um amigo protetor tanto quanto de um inimigo. Onde está esse amigo ou inimigo agora? Permaneceu em Londres ou nos seguiu até aqui? Poderia... poderia ser ele o desconhecido que vi sobre o rochedo?

É verdade que só pude vislumbrá-lo de relance; no entanto, há certas coisas sobre as quais eu seria capaz de jurar. Ele não é ninguém que eu tenha visto aqui, e agora já conheci todos os vizinhos. Sua silhueta era bem mais alta que a de Stapleton, bem mais magra que a de Frankland. Barrymore poderia ser, talvez, mas nós o deixáramos para trás, e tenho certeza de que ele não nos poderia ter seguido. Um desconhecido, portanto, ainda vigia nossos passos, como um desconhecido nos seguiu em Londres. Nunca o despistamos. Se eu pudesse pôr as mãos nesse homem, finalmente desapareceriam todas as nossas dificuldades. A esse único propósito devo agora devotar todas as minhas energias.

Meu primeiro impulso foi contar a Sir Henry todos os meus planos. Meu segundo e mais prudente impulso é fazer o meu próprio jogo e falar o mínimo possível com quem quer que seja. Sir Henry está silencioso e perturbado. Seus nervos foram estranhamente abalados por aquele som no pântano. Não direi nada que possa exacerbar sua ansiedade, mas darei meus próprios passos para alcançar meu objetivo.

Tivemos aqui uma pequena altercação hoje de manhã, após o desjejum. Barrymore pediu permissão para falar com Sir Henry, e eles ficaram trancados em seu escritório por algum tempo. Sentado no salão de bilhar, mais de uma vez ouvi o som de vozes exaltadas e pude ter uma boa ideia de qual era o assunto em discussão. Depois de um tempo, o baronete abriu a porta e me chamou.

— Barrymore considera que tem uma queixa — ele disse. — Ele acha que foi injusto de nossa parte perseguir seu cunhado depois que ele, Barrymore, de livre e espontânea vontade, contou-nos o segredo.

O mordomo estava de pé, muito pálido, mas muito calmo, diante de nós.

— Posso ter falado acaloradamente demais, senhor — ele disse —, e se falei, certamente rogo seu perdão. Por outro lado, fiquei muito surpreso quando ouvi os senhores voltando hoje de manhã e fiquei sabendo que perseguiram Selden. O pobre sujeito já tem muito a enfrentar sem que eu lhe crie mais problemas.

TRECHO DO DIÁRIO DO DR. WATSON

— Se você tivesse nos contado de livre e espontânea vontade, a coisa seria diferente — disse o baronete. — Você só nos contou, ou melhor, sua esposa só nos contou quando vocês foram forçados a isso e não viram outra saída.

— Não achei que o senhor fosse tirar vantagem disso, Sir Henry... não achei mesmo.

— O homem é um perigo para a sociedade. Há casas isoladas por todo o pântano, e ele é um camarada que usa um punhal por nada. Basta olhar de relance seu rosto para ver isso. Veja a casa do Sr. Stapleton, por exemplo, que só tem o próprio para defendê-la. Não haverá segurança para ninguém enquanto Selden não for trancafiado.

— Ele não arrombará nenhuma casa, senhor, dou solenemente minha palavra quanto a isso. E jamais incomodará ninguém neste país novamente. Garanto, Sir Henry, que daqui a bem poucos dias as providências necessárias terão sido tomadas, e ele estará a caminho da América do Sul. Pelo amor de Deus, senhor, eu imploro que não deixe a polícia saber que ele ainda está no pântano. Eles desistiram da caçada ali, e ele pode se esconder em paz até que seu navio esteja pronto. O senhor não pode denunciá-lo sem pôr a mim e à minha esposa em apuros. Eu imploro, senhor, não diga nada à polícia.

— O que acha, Watson?

Eu dei de ombros.

— Se ele saísse do país de forma segura, aliviaria o contribuinte de um fardo.

— Mas e a probabilidade de ele atacar alguém antes de partir?

— Ele não faria uma loucura dessas, senhor. Já providenciamos tudo o que ele poderia querer. Cometer um crime revelaria seu esconderijo.

— Isso é verdade — disse Sir Henry. — Bem, Barrymore...

— Deus o abençoe, senhor, e obrigado, do fundo do meu coração! Vê-lo preso de novo mataria minha pobre esposa.

— Acho que estamos ajudando e incentivando um crime, não, Watson? Mas depois do que ouvimos, eu não teria coragem de denunciar o homem, portanto, assunto encerrado. Certo, Barrymore, pode ir.

Com algumas palavras rotas de gratidão, o homem se virou, mas hesitou e então voltou.

— Foi tão bom conosco, senhor, que eu gostaria de fazer o melhor que posso em troca. Sei de uma coisa, Sir Henry, e talvez devesse ter contado antes, mas foi bem depois do inquérito que descobri. Jamais disse uma palavra sobre isso a ninguém. É acerca da morte do pobre Sir Charles.

O baronete e eu ficamos de pé.

— Você sabe como ele morreu?

— Não, senhor, isso eu não sei.

— O que é, então?

— Sei por que ele estava na cancela naquela hora. Era para se encontrar com uma mulher.

— Com uma mulher! Ele?

— Sim, senhor.

TRECHO DO DIÁRIO DO DR. WATSON

— E o nome da mulher?

— Não posso dizer o nome, senhor, mas posso dar as iniciais. Suas iniciais eram L. L.

— Como sabe disso, Barrymore?

— Bem, Sir Henry, seu tio recebeu uma carta naquela manhã. Normalmente, ele recebia muitas cartas, por ser um homem público e famoso por seu bom coração, de modo que qualquer um que estivesse em apuros de bom grado recorria a ele. Mas naquela manhã, por acaso, havia só essa carta, por isso foi mais fácil notá-la. Era de Coombe Tracey e estava endereçada com uma letra de mulher.

— E então?

— Pois bem, senhor, não pensei mais no assunto, e não teria mais pensado, se não fosse pela minha esposa. Há poucas semanas, ela estava limpando o escritório de Sir Charles, que não fora tocado desde sua morte, e encontrou os restos de uma carta queimada atrás da grade da lareira. A maior parte dela estava pulverizada, mas um pedacinho, o pé de uma página, ainda não se desfizera, e a escrita era legível, embora fosse cinza sobre preto. Pareceu-nos ser um pós-escrito ao final da carta, e dizia: "Por favor, por favor, como cavalheiro que é, queime esta carta e esteja na cancela às 22 horas." Embaixo estava assinada com as iniciais L. L.

— Vocês têm esse fragmento?

— Não, senhor, esfacelou-se quando mexemos nele.

— Sir Charles recebeu alguma outra carta com a mesma caligrafia?

— Bem, senhor, eu não prestava muita atenção em sua correspondência. Não teria notado nem aquela, mas ela chegou sozinha.

— E você não faz ideia de quem seja L. L.?

— Não, senhor. Não mais do que o senhor. Mas imagino que se pudéssemos encontrar essa mulher, saberíamos mais sobre a morte de Sir Charles.

— Não consigo entender, Barrymore, como você pôde esconder essa importante informação.

— Bem, senhor, foi imediatamente depois disso que nossos problemas começaram. Por outro lado, ambos gostávamos muito de Sir Charles, considerando tudo o que ele fez por nós. Desenterrar isso certamente não ajudaria nosso pobre patrão, e é bom tomar cuidado quando há uma dama envolvida. Até os melhores...

— Você achou que isso poderia manchar a reputação dele?

— Bem, senhor, achei que nada de bom resultaria disso. Mas agora o senhor foi bom conosco, e senti que estaria lhe tratando injustamente se não contasse tudo o que sei sobre o assunto.

— Muito bem, Barrymore; pode ir.

Depois que o mordomo se foi, Sir Henry voltou-se para mim.

— Bem, Watson, o que acha dessa nova luz?

— Ela parece deixar a escuridão mais negra do que antes.

TRECHO DO DIÁRIO DO DR. WATSON

— Também acho. Mas se pudermos localizar L. L., toda a questão se esclarecerá. Ganhamos isso. Sabemos que há alguém de posse dos fatos, contanto que a achemos. O que acha que devemos fazer?

— Informar Holmes sobre tudo isso imediatamente. É a pista que ele estava procurando. A menos que eu esteja muito enganado, isso o trará aqui.

Fui incontinenti ao meu quarto e redigi meu relatório da conversa da manhã para Holmes. Era evidente, para mim, que ele estivera muito ocupado ultimamente, já que os bilhetes que eu recebia da Baker Street eram poucos e curtos, sem comentários sobre as informações que eu fornecia e quase nenhuma referência à minha missão. Sem dúvida, seu caso de chantagem está absorvendo todas as suas faculdades. No entanto, esse novo fator certamente chamará sua atenção e renovará seu interesse. Gostaria que ele estivesse aqui.

17 de outubro — Hoje a chuva caiu a cântaros o dia todo, fustigando a hera e pingando das calhas. Pensei no prisioneiro lá fora no pântano desolado, frio, sem abrigo. Pobre camarada! Sejam quais forem seus crimes, ele já sofreu o suficiente para expiá-los. E então pensei naquele outro — o rosto no táxi, a silhueta à luz da lua. Ele também estaria nesse dilúvio — o observador invisível, o homem da escuridão? À noite, vesti meu impermeável e andei pelo terreno encharcado do pântano adentro, cheio de pensamentos sombrios, com a chuva batendo no meu rosto e o vento uivando nos meus ouvidos. Deus ajude quem vagar para o grande charco agora, pois até os trechos mais altos e firmes estão se tornando um lamaçal. Encontrei o Rochedo Negro sobre o qual eu vira o observador solitário e, de seu topo acidentado, eu mesmo olhei ao meu redor as melancólicas baixadas. Pancadas de chuva caíam sobre a terra avermelhada, e as nuvens pesadas, cor de chumbo, jaziam baixas sobre a paisagem, vagando qual mortalhas cinzentas pelas encostas das fantásticas colinas. Na cavidade distante à esquerda, semiocultas pela névoa, as torres gêmeas de Baskerville Hall elevavam-se acima das árvores. Elas eram as únicas indicações de vida humana que eu podia ver, salvo por aquelas choças pré-históricas que se concentravam nas encostas dos morros. Em nenhum lugar havia qualquer sinal daquele homem solitário que eu vira no mesmo lugar duas noites antes.

 Enquanto eu caminhava de volta, fui alcançado pelo Dr. Mortimer conduzindo sua carroça por uma trilha acidentada do pântano que saía da distante fazenda de Foulmire. Ele tem nos dado muita atenção, e não passa um dia sem que visite a mansão para ver como estamos. Ele insistiu para que eu subisse em sua carroça e me deu uma carona até em casa. Encontrei-o muito preocupado com o desaparecimento de seu pequeno *spaniel*. O animal enveredou pelo pântano e não voltou mais. Consolei-o como pude, mas pensei no pônei no Charco de Grimpen, e acho que ele não verá seu cãozinho novamente.

TRECHO DO DIÁRIO DO DR. WATSON

— A propósito, Mortimer — eu disse, enquanto sacolejávamos pela estrada esburacada —, imagino que haja poucas pessoas morando nas redondezas que você não conheça.

— Acho que nenhuma.

— Pode, então, me dizer se há alguma mulher cujas iniciais são L. L.?

Ele pensou por alguns minutos.

— Não — ele disse. — Há alguns ciganos e trabalhadores sobre os quais não posso responder, mas entre os fazendeiros e proprietários, não há ninguém com essas iniciais. Mas espere um pouco — ele acrescentou, após uma pausa. — Há Laura Lyons, suas iniciais são L. L., mas ela mora em Coombe Tracey.

— Quem é ela? — eu perguntei.

— A filha de Frankland.

— O quê! Frankland, o velho ranzinza?

— Exatamente. Ela se casou com um artista chamado Lyons, que veio ao pântano fazer esboços. Ele provou ser mau caráter e a abandonou. A culpa, pelo que ouvi, pode não ter sido unicamente dele. O pai cortara relações com ela, por ela ter se casado sem seu consentimento, e talvez por um ou dois outros motivos também. Portanto, entre um velho perverso e um jovem mais ainda, a garota passou por maus bocados.

— Como ela se sustenta?

— Imagino que o velho Frankland lhe conceda uma ninharia, e nem poderia ser mais, já que os negócios dele estão consideravelmente prejudicados. Sejam quais forem suas culpas, não se pode permitir que ela se veja desesperançosamente em maus lençóis. Sua história circulou, e várias pessoas daqui se mobilizaram para que ela pudesse sustentar-se honestamente. Stapleton a ajudou, por exemplo, e Sir Charles também. Eu mesmo dei uma pequena contribuição. Foi para que ela montasse um negócio de datilografia.

Ele quis saber o motivo de minhas perguntas, mas consegui satisfazer sua curiosidade sem revelar muito, pois não temos por que confiar em ninguém. Amanhã pela manhã, irei para Coombe Tracey, e se eu puder ver essa Sra. Laura Lyons, de dúbia reputação, um grande passo terá sido dado para esclarecer um dos incidentes nesta sequência de mistérios. A verdade é que estou desenvolvendo a sabedoria das serpentes, porque quando o interrogatório de Mortimer começou a beirar a inconveniência, eu lhe perguntei que tipo de crânio Frankland possuía, e assim não ouvi nada além de frenologia pelo resto da viagem. Não morei por anos com Sherlock Holmes à toa.

Tenho apenas mais um detalhe a registrar neste dia tempestuoso e melancólico: minha conversa com Barrymore de há pouco, que me fornece mais um trunfo importante que poderei usar no momento oportuno.

Mortimer ficou para jantar, e ele e o baronete jogaram *écarté** em seguida. O mordomo trouxe meu café para a biblioteca, e eu arrisquei fazer-lhe algumas perguntas.

---

*Jogo de cartas criado na França no século XIX. Em francês no original. (N.T.)

TRECHO DO DIÁRIO DO DR. WATSON

— Bem — eu disse —, esse seu precioso parente já partiu ou ainda está rondando por aqueles lados?

— Não sei, senhor. Espero sinceramente que ele tenha partido, pois não trouxe nada além de problemas aqui! Não tenho notícias dele desde a última vez que lhe levei comida, e isso foi há três dias.

— Você o viu, na ocasião?

— Não, senhor, mas a comida havia desaparecido quando passei novamente por ali.

— Então é certeza que ele estava lá?

— É o que penso, senhor, a menos que tenha sido o outro homem a pegá-la.

Eu fiquei imóvel com a xícara a caminho de meus lábios e olhei para Barrymore.

— Você sabe que há outro homem lá, então?

— Sim, senhor; há outro homem no pântano.

— Você o viu?

— Não, senhor.

— Como sabe dele, então?

— Selden me falou dele, senhor, há uma semana ou mais. Ele também está escondido, mas não é um presidiário, até onde sei. Não gosto disso, Dr. Watson, digo francamente que não gosto. — Ele falou, de repente, com uma genuína exaltação.

— Bem, escute aqui, Barrymore! Não tenho outros interesses nesse assunto além daqueles do seu patrão. Vim para cá sem outro objetivo senão ajudá-lo. Diga-me francamente do que não gosta.

Barrymore hesitou por um momento, como se lamentasse seu rompante ou encontrasse dificuldade em expressar seus sentimentos com palavras.

— São todos esses acontecimentos, senhor — ele exclamou finalmente, agitando as mãos para a janela fustigada pela chuva que dava para o pântano. — Há um crime em algum lugar, e vilanias da pior espécie sendo preparadas, juro! Ficaria muito feliz, senhor, em ver Sir Henry voltando para Londres!

— Mas o que alarma você?

— Veja a morte de Sir Charles! Isso já foi ruim, apesar do que o legista disse. E os barulhos no pântano à noite. Homem algum o atravessaria depois do anoitecer, nem se fosse pago para isso. E esse desconhecido escondendo-se ali, observando e esperando! O que ele está esperando? O que isso significa? Não significa nada de bom para quem carrega o nome Baskerville, e ficarei muito feliz em livrar-me de tudo isso, no dia em que os novos serviçais de Sir Henry estiverem prontos para assumirem seus cargos na mansão.

— Mas quanto a esse desconhecido — eu disse. — Pode me contar qualquer coisa sobre ele? O que Selden disse? Ele descobriu o esconderijo do homem ou o que este estava fazendo?

TRECHO DO DIÁRIO DO DR. WATSON

— Ele o viu uma ou duas vezes, mas o homem é esperto e não revela nada. De início, Selden achou que ele fosse da polícia, mas logo descobriu que ele tinha seus próprios planos. Parecia um cavalheiro, até onde pôde ver, mas o que estava fazendo, ele não conseguiu descobrir.

E onde ele disse que esse homem mora?

— Entre as velhas casas da encosta, as cabanas de pedra onde os antigos moravam.

— Mas o que ele come?

— Selden descobriu que um rapaz trabalha para ele e lhe traz tudo de que precisa. Ouso dizer que ele próprio vai a Coombe Tracey procurar o que quer.

— Muito bem, Barrymore. Podemos falar mais sobre isso em outro momento.

Depois que o mordomo se foi, eu me aproximei da janela negra e olhei através da vidraça embaçada para as nuvens em movimento e o contorno agitado das árvores castigadas pelo vento. Já era uma noite difícil entre quatro paredes; como não seria, então, numa cabana de pedra no pântano. Que espécie de ódio pode levar um homem a vagar por um lugar assim com um tempo desses? E que propósito profundo e franco ele pode ter que demanda tamanho sacrifício? Ali, naquela cabana no pântano, parecia estar o centro do problema que tão amargamente me aflige. Juro que não há de se passar mais um dia sem que eu faça tudo o que for humanamente possível para chegar ao âmago desse mistério.

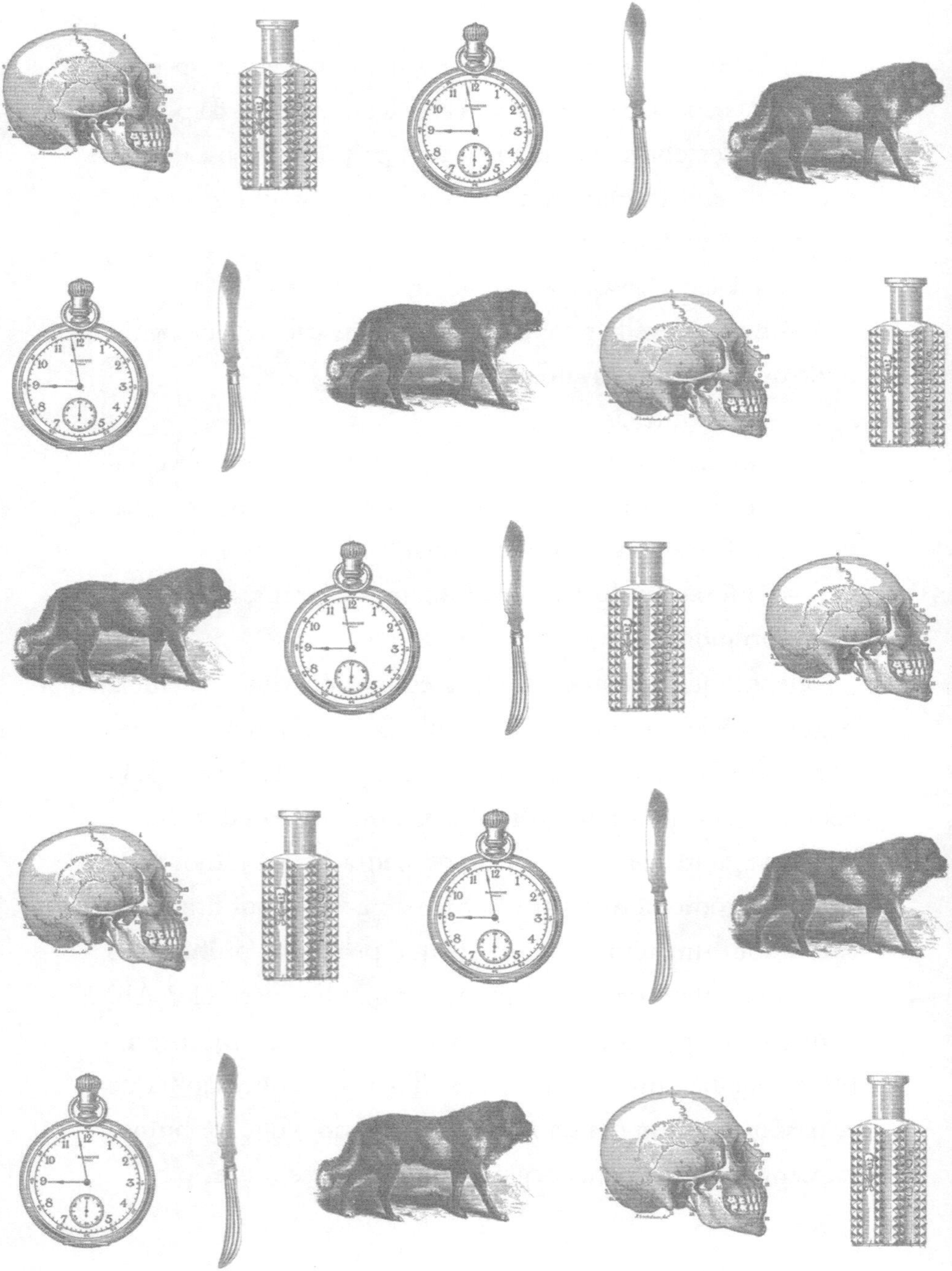

onze
O HOMEM SOBRE O ROCHEDO

O trecho do meu diário particular que forma o capítulo anterior atualizou a narrativa até o dia 18 de outubro, um momento no qual esses estranhos acontecimentos começaram a avançar rapidamente para a sua terrível conclusão. Os incidentes dos poucos dias seguintes estão indelevelmente gravados em minha memória e posso contá-los sem consultar as anotações que fiz na época. Começo, assim, pelo dia que se seguiu àquele no qual confirmei dois fatos de grande importância, um, que a Sra. Laura Lyons, de Coombe Tracey, escrevera a Sir Charles Baskerville e marcara um encontro com ele no local e hora exatos em que a morte deste acontecera, e outro, que o homem que vagava pelo pântano podia ser encontrado entre as cabanas de pedra na encosta da colina. De posse desses dois fatos, eu sentia que minha inteligência ou minha coragem provar-se-iam deficientes se eu não pudesse lançar mais alguma luz sobre esses recantos escuros.

Não tive nenhuma oportunidade de contar ao baronete o que eu descobrira sobre a Sra. Lyons na noite anterior, pois o Dr. Mortimer o acompanhou no carteado até bem tarde. No desjejum, todavia, informei-o da minha descoberta e lhe perguntei se importar-se-ia em me acompanhar até Coombe Tracey. De início, ele mostrou-se muito ansioso para ir, mas refletindo a respeito, ambos concluímos que se eu fosse sozinho os resultados poderiam ser melhores. Quanto mais formal fosse a visita, menos informações poderíamos obter. Deixei Sir Henry para trás, portanto, não sem algum peso na consciência, e parti para minha nova missão.

Quando cheguei em Coombe Tracey, pedi que Perkins amarrasse os cavalos e inquiri sobre a dama que eu viera interrogar. Não tive dificuldade em encontrar seus aposentos, que eram bem localizados e sinalizados. Uma criada me introduziu sem cerimônias, e quando entrei na sala de estar, uma dama que estava sentada diante de uma máquina de escrever Remington levantou-se com um sorriso agradável de boas-vindas. Seu rosto murchou, todavia, ao ver que se tratava de um estranho, e ela sentou-se novamente e me perguntou o motivo de minha visita.

A primeira impressão que a Sra. Lyons me causou foi de extrema beleza. Seus olhos e cabelo eram do mesmo rico tom de castanho, e suas faces, ainda que consideravelmente sardentas, eram tingidas pelo viço delicioso da morena, o delicado rosa que se esconde no coração da *Rosa sulphurea*. Admiração foi, repito, a primeira impressão. Mas a segunda foi crítica.

O HOMEM SOBRE O ROCHEDO

Havia algo de vagamente errado em seu rosto, uma rudeza de expressão, uma dureza, talvez, do olhar, alguma liberalidade da boca, que manchavam sua beleza perfeita. Mas essas, naturalmente, são reflexões posteriores. No momento, eu tinha consciência tão somente de estar na presença de uma mulher assaz atraente, que me perguntava qual o motivo de minha visita. Eu não havia entendido bem, até aquele instante, quão delicada era a minha missão.

— Tive o prazer — eu disse — de conhecer seu pai.

Era uma apresentação pouco graciosa, e a dama fez-me sentir isso.

— Não tenho nada em comum com meu pai — ela disse. — Não devo nada a ele, e seus amigos não são meus amigos. Se não fosse pelo finado Sir Charles Baskerville e algumas outras pessoas de bom coração, eu poderia ter morrido de fome, e meu pai pouco ia se importar.

— É sobre o finado Sir Charles Baskerville que venho lhe falar.

As sardas praticamente saltaram do rosto da dama.

— O que posso lhe dizer sobre ele? — ela perguntou, e seus dedos tamborilaram nervosamente sobre as teclas de sua máquina.

— A senhora o conhecia, não conhecia?

— Já disse que devo muito à bondade dele. Se sou capaz de me sustentar, deve-se em grande medida ao interesse que ele demonstrou pela minha infeliz situação.

— Correspondia-se com ele?

A dama ergueu rapidamente os olhos, com um brilho raivoso nas íris castanhas.

— Qual o objetivo dessas perguntas? — ela perguntou com rispidez.

— O objetivo é evitar um escândalo público. É melhor eu fazê-las aqui do que permitir que o assunto escape ao nosso controle.

Ela se quedou silenciosa, com o rosto ainda muito pálido. Por fim, olhou-me com uma atitude algo temerária e desafiadora.

— Bem, responderei — ela disse. — Quais são suas perguntas?

— A senhora se correspondia com Sir Charles?

— Certamente lhe escrevi uma ou duas vezes para agradecer sua delicadeza e generosidade.

— Lembra-se das datas dessas cartas?

— Não.

— Encontrou-se pessoalmente com ele?

— Sim, uma ou duas vezes, quando ele vinha a Coombe Tracey. Era um homem muito reservado e preferia fazer o bem furtivamente.

— Mas se a senhora o viu tão pouco e lhe escreveu tão pouco, de que forma pôs-se ele suficientemente a par de sua situação para ajudá-la, como está dizendo que ele ajudou?

Ela reagiu ao meu questionamento com notável prontidão.

— Vários cavalheiros conheciam minha triste história e uniram-se para me ajudar. Um era o Sr. Stapleton, vizinho e amigo íntimo de Sir Charles. Ele foi extremamente gentil, e foi por meio dele que Sir Charles ficou sabendo da minha situação.

Eu já sabia que Sir Charles Baskerville fizera de Stapleton o agente de sua caridade em várias ocasiões, de modo que o depoimento da dama trazia a marca da verdade.

— Alguma vez escreveu a Sir Charles pedindo que ele se encontrasse com a senhora? — eu continuei.

A Sra. Lyons mais uma vez corou de raiva.

— Realmente, senhor, essa é uma pergunta extraordinária.

— Lamento, madame, mas devo reiterá-la.

— Então respondo: certamente que não.

— Nem no mesmo dia de sua morte?

O rubor desaparecera num instante, e uma palidez cadavérea estava diante de mim. Seus lábios secos não foram capazes de pronunciar o "Não" que vi mais do que ouvi.

— Certamente sua memória lhe trai — eu disse. — Posso até citar um trecho de sua carta. Ela dizia: "Por favor, por favor, como cavalheiro que é, queime esta carta e esteja na cancela às 22 horas."

Pensei que ela fosse desmaiar, mas a jovem dama recuperou-se com um esforço supremo.

— Será que não existem mais cavalheiros? — ela gemeu.

— Está cometendo uma injustiça com Sir Charles. Ele *queimou* a carta. Mas às vezes uma carta continua legível mesmo depois de queimada. Reconhece, agora, que a escreveu?

— Sim, eu a escrevi — ela exclamou, derramando sua alma numa torrente de palavras. — Eu a escrevi. Por que deveria negar? Não tenho nenhum motivo para me envergonhar disso. Queria que ele me ajudasse. Acreditava que conversando com ele, ganharia sua ajuda, por isso pedi que ele me encontrasse.

— Mas por que naquela hora?

— Porque eu acabara de saber que ele partiria para Londres no dia seguinte e poderia ficar longe por meses. Tive motivos para não conseguir chegar antes.

— Mas por que um encontro no jardim, em vez de uma visita à casa?

— O senhor acha que uma mulher pode ir sozinha naquela hora à casa de um homem solteiro?

— Bem, o que aconteceu quando a senhora lá chegou?

— Eu não fui.

— Sra. Lyons!

— Não, juro por tudo que é mais sagrado. Não fui. Algo interveio e impediu minha ida.

— O quê?

— Esse é um assunto particular. Não posso revelar.

— A senhora reconhece, então, que marcou um encontro com Sir Charles na hora e lugar exatos de sua morte, mas nega ter comparecido ao encontro.

— Essa é a verdade.

Mais e mais vezes eu a interroguei, mas não consegui ir além desse ponto.

— Sra. Lyons — eu disse, ao encerrar a longa e inconclusiva entrevista —, está assumindo uma enorme responsabilidade e se colocando numa posição assaz precária ao não revelar absolutamente tudo o que sabe. Se eu tiver que pedir auxílio à polícia, a senhora descobrirá quão gravemente está envolvida. Se é inocente, por que começou negando ter escrito a Sir Charles naquela data?

— Porque eu temia que alguma falsa conclusão pudesse resultar disso e que eu me visse envolvida num escândalo.

— E por que insistiu tanto para que Sir Charles destruísse a carta?

— Se o senhor leu a carta, deve saber.

— Eu não disse que li toda a carta.

— Mas citou um trecho.

— Citei o pós-escrito. A carta fora, como eu disse, queimada, e não estava totalmente legível. Pergunto mais uma vez por que insistiu tanto para que Sir Charles destruísse essa carta, que ele recebeu no dia de sua morte.

— O assunto é muito íntimo.

— Mais um motivo para que a senhora queira evitar uma investigação pública.

— Contar-lhe-ei, então. Se o senhor está a par da minha infeliz história, sabe que fiz um casamento precipitado e tive razões para me arrepender.

— Ouvi isso.

— Minha vida tem sido uma incessante perseguição por

parte de um marido que abomino. A lei está do seu lado, e todo dia enfrento a possibilidade de que esse homem me obrigue a conviver com ele. Na época em que escrevi aquela carta para Sir Charles, eu descobrira que havia uma perspectiva de reconquistar minha liberdade mediante o pagamento de certas custas. Aquilo significava tudo para mim; paz de espírito, felicidade, respeito próprio... tudo. Eu sabia da generosidade de Sir Charles, e achei que se ele ouvisse minha história pessoalmente, poderia me ajudar.

— Então por que a senhora não foi?

— Porque recebi ajuda nesse ínterim de outra fonte.

— Por que, então, não escreveu para Sir Charles e explicou isso?

— Era o que eu ia fazer, se não ficasse sabendo de sua morte pelos jornais na manhã seguinte.

A história da mulher mantinha-se coerentemente coesa, e nenhuma pergunta minha foi capaz de abalá-la. Eu só poderia verificar sua veracidade descobrindo se ela de fato impetrara um pedido de divórcio contra o marido na época da tragédia.

Era improvável que ela ousasse dizer que não estivera em Baskerville Hall se realmente estivera, já que uma carroça seria necessária para levá-la, e não teria como voltar para Coombe Tracey antes da madrugada. Tal excursão não poderia ser mantida em segredo. A probabilidade era, portanto, que ela estava dizendo a verdade, ou ao menos parte da verdade. Saí de lá perplexo e desencorajado. Mais uma vez, eu chegara àquela muralha inamovível que parecia ter sido erguida em todos os caminhos pelos quais eu enveredava para chegar à meta da minha missão. No entanto, quanto mais eu pensava no rosto e no comportamento da dama, mais sentia que algo estava sendo escondido de mim. Por que ela ficara tão pálida? Por que resistia a admitir todos os fatos, até ser forçada a isso? Por que fora tão reticente na época da tragédia? Certamente a explicação para tudo isso não poderia ser tão inocente quanto ela queria que eu acreditasse. Naquele momento, eu não podia avançar mais nessa direção, mas precisava retornar à outra pista, que devia ser investigada entre as ruínas de pedra do pântano.

E essa era uma direção deveras vaga. Dei-me conta disso no trajeto de volta, quando notei como colinas e mais colinas exibiam vestígios do povo ancestral. A única indicação de Barrymore fora que o desconhecido habitava uma daquelas choças abandonadas, e muitas centenas delas estão espalhadas por todos os lados no pântano. Mas eu tinha minha experiência como guia, pois já vira o homem em pessoa de pé no alto do Rochedo Negro. Esse, então, seria o centro de minha busca. A partir dali eu exploraria cada cabana do pântano, até chegar à certa. Se esse homem estivesse dentro dela, eu saberia de sua própria boca, sob a mira do meu revólver, se necessário, quem ele era e por que nos seguira por tanto tempo. Ele podia ter fugido de nós na multidão da Regent

Street, mas ser-lhe-ia problemático fazer o mesmo no pântano solitário. Por outro lado, se eu encontrasse a cabana e seu ocupante não estivesse nela, eu permaneceria lá, por mais longa que fosse a vigília, até o seu regresso. Holmes não o encontrara em Londres. Seria um triunfo e tanto, para mim, capturá-lo após o fracasso do meu mestre.

A sorte se voltara contra nós repetidas vezes nessa investigação, mas agora, finalmente, ela vinha em meu auxílio. E o mensageiro da bem-aventurança foi ninguém menos que o Sr. Frankland, parado, com seu bigode grisalho e rosto rubro, diante da entrada de seu jardim, que dava para a estrada pela qual eu viajava.

— Bom dia, Dr. Watson — ele exclamou, com bom-humor incomum —; precisa realmente dar um descanso aos seus cavalos, tomar uma taça de vinho comigo e me parabenizar.

Meus sentimentos por ele estavam longe de serem amigáveis, depois do que eu ouvira sobre o tratamento que dispensara à filha, mas eu estava ansioso para mandar Perkins e a charrete para casa, e a oportunidade era boa. Desci e enviei uma mensagem a Sir Henry, avisando que regressaria a pé a tempo para o jantar. Em seguida, acompanhei Frankland até sua sala de jantar.

— É um grande dia para mim, senhor; um dia para marcar no calendário da minha vida — ele exclamou, rindo muito. — Matei dois coelhos com uma só cajadada. Pretendo ensinar ao povo destas redondezas que a lei é a lei, e que aqui está um homem que não teme invocá-la. Estabeleci um direito de passagem pelo meio das terras do velho Middleton, bem no meio, senhor, a menos de cem metros da porta de sua casa. O que acha disso? Vamos ensinar a esses magnatas que eles não podem pisotear os direitos do homem comum, malditos sejam! E interditei o bosque onde o povo de Fernworthy fazia seus piqueniques. Aquela gente infernal parece pensar que não existem direitos de propriedade e que pode enxamear a seu bel-prazer com seus jornais e garrafas. Ambos os casos decididos, Dr. Watson, e ambos em meu favor. Não tenho um dia assim desde que obtive a condenação de Sir John Morland por invasão porque ele caçava em suas próprias terras.

— Como conseguiu isso, meu Deus?

— Consulte os textos jurídicos, senhor. A leitura valerá a pena; Frankland *vs.* Morland, Corte da Rainha. Custou-me duzentas libras, mas consegui meu veredicto.

— Ganhou algo com isso?

— Nada, senhor, nada. Orgulho-me em dizer que eu não tinha interesse algum na questão. Ajo unicamente movido por um senso de dever público. Não tenho dúvidas, por exemplo, de que o povo de Fernworthy queimar-me-á em efígie esta noite. Avisei a polícia, da última vez que fizeram isso, que ela deveria impedir essas exibições vergonhosas. A força policial da região está em situação escandalosa, senhor, e não vem me garantindo a proteção a que tenho direito. O caso de Frankland *vs.* Regina trará essa questão à atenção do público. Eu avisei que eles teriam ocasião de se arrepender do tratamento a mim dispensado, e minhas palavras já se concretizaram.

— Como? — perguntei.

O velho assumiu uma expressão de sabedoria.

— Porque eu poderia revelar-lhes o que estão morrendo de vontade de saber; mas nada me levaria a ajudar de forma alguma aqueles pilantras.

Eu estava procurando algum pretexto para fugir de seus mexericos, mas então comecei a querer ouvi-los mais. Eu já presenciara o suficiente do espírito de contradição do velho safado para entender que qualquer sinal de interesse de minha parte seria a forma mais garantida de interromper suas confidências.

— Algum caso de caça ilegal, sem dúvida? — eu disse, afetando indiferença.

— Ha, ha, meu rapaz, um assunto muito mais importante! Que tal o fugitivo do pântano?

Eu o encarei.

— Não me diga que sabe onde ele está? — exclamei.

— Posso não saber exatamente onde ele está, mas tenho certeza de que poderia ajudar a polícia a pôr as mãos nele. Nunca lhe ocorreu que o modo de capturar esse homem é descobrir onde ele arranja comida, e então seguir o rastro das provisões até ele?

Ele parecia, de fato, estar se aproximando desconfortavelmente da verdade.

— Sem dúvida — eu disse —; mas como o senhor sabe que ele está em algum lugar do pântano?

— Eu sei porque vi com meus próprios olhos o mensageiro que leva a comida até ele.

Senti meu coração afundar por Barrymore. Era algo muito grave ver-se à mercê daquele velhote enxerido e despeitado. Mas seu comentário seguinte tirou um peso da minha mente.

— O senhor ficará surpreso em saber que quem leva a comida é uma criança. Vejo o rapazinho todo dia pelo telescópio do meu telhado. Ele faz o mesmo caminho na mesma hora, e aonde poderia estar indo, senão encontrar-se com o fugitivo?

Esse, sim, era um golpe de sorte! No entanto, contive qualquer manifestação de interesse. Uma criança! Barrymore havia dito que nosso desconhecido era auxiliado por um garoto. Fora com o rastro deste, e não com o do fugitivo, que Frankland topara. Se eu pudesse obter tal conhecimento, poupar-me-ia de uma caçada longa e cansativa. Mas a incredulidade e a indiferença eram, evidentemente, meus trunfos mais fortes.

— Devo dizer que é muito mais provável que fosse o filho de um dos pastores do pântano, levando o jantar para o pai.

O menor sinal de oposição fazia o velho autocrata cuspir fogo. Seus olhos me fitaram, malignos, e seu bigode arrepiou-se como as vibrissas de um gato enfurecido.

— Deveras, senhor! — ele disse, apontando para o vasto pântano. — Está vendo aquele Rochedo Negro? Bem, consegue ver a colina baixa atrás dele, com o espinheiro no topo? É a parte mais pedregosa de todo o pântano. Parece um lugar provável para pastoreio? Sua sugestão, senhor, é totalmente absurda.

Respondi humildemente que falei sem conhecer todos os fatos. Minha submissão lhe agradou e motivou ulteriores confidências.

— Pode ter certeza, senhor, de que procuro embasar-me muito bem antes de emitir uma opinião. Vi o menino repetidas vezes com seu farnel. Todo dia, e ocasionalmente duas vezes por dia, eu pude... mas espere um pouco, Dr. Watson. Meus olhos me enganam ou há algo se movendo naquela encosta neste exato momento?

Era a vários quilômetros, mas eu podia ver distintamente um pontinho escuro em meio ao verde-claro e ao cinza.

— Venha, senhor, venha! — exclamou Frankland, correndo escada acima. — Poderá ver com seus próprios olhos e julgar por si mesmo.

O telescópio, um instrumento formidável montado sobre um tripé, erguia-se sobre as placas de chumbo que formavam o telhado da casa. Frankland encostou o olho nele e emitiu um gritinho de satisfação.

— Rápido, Dr. Watson, antes que ele suma atrás da colina!

Lá estava ele, de fato, um malandrinho levando um pequeno farnel sobre o ombro, subindo lentamente a encosta. Quando chegou ao topo, vi sua silhueta maltrapilha e desgrenhada destacar-se por um instante contra o céu azul e frio. Ele olhou ao seu redor com ar furtivo e sorrateiro, como alguém que teme ser seguido. Então desapareceu atrás da colina.

— Pois bem! Estou certo?

— De fato, é um garoto que parece estar fazendo alguma entrega secreta.

— E que entrega é essa, até um policial do interior seria capaz de adivinhar. Mas nem uma palavra eles ouvirão de mim, e exijo sua discrição também, Dr. Watson. Nem uma palavra! Entendeu?

— Como quiser.

— Eles me trataram vergonhosamente... vergonhosamente. Quando os fatos do caso Frankland *vs.* Regina forem divulgados, arrisco imaginar que um frêmito de indignação espalhar-se-á pelo país. Nada haveria de me induzir a ajudar a polícia o mínimo que fosse. Por eles, poderia ser eu mesmo, em vez de minha efígie, sendo imolado por aqueles miseráveis. Não me diga que vai embora! Vai me ajudar a esvaziar uma garrafa em homenagem a esta grande ocasião!

Mas resisti a todas as suas solicitações e consegui dissuadi-lo de sua intenção manifesta de me acompanhar na caminhada para casa. Mantive-me na estrada enquanto ele continuou me olhando, e em seguida desabalei pelo pântano na direção da colina pedregosa atrás da qual o garoto desaparecera. Tudo trabalhava a meu favor, e jurei que não seria por falta de energia ou perseverança que eu desperdiçaria a oportunidade que a sorte lançara em meu caminho.

O sol já estava se pondo quando cheguei ao topo da colina, e as longas encostas abaixo de mim eram todas verdes e douradas de um lado e sombras cinza do outro. Uma névoa recobria o mais distante horizonte, da qual despontavam as formas fantásticas de Belliver e Vixen Tor. Sobre o vasto vale não havia som nem movimento. Um grande pássaro cinza, uma gaivota ou um maçarico, pairava no céu azul. Ele e eu parecíamos ser os únicos seres vivos entre a imensa abóbada celeste e o deserto abaixo dela. O cenário árido, a sensação de solidão, o mistério e a urgência de minha tarefa, tudo isso gelava-me o coração. O garoto não era visível em lugar nenhum. Mas abaixo de mim, numa fenda entre as colinas, havia um círculo das velhas cabanas de pedra, e no meio delas havia uma que ainda tinha telhado suficiente para servir como abrigo das intempéries. Meu coração saltou dentro de mim quando a vi. Devia ser a toca onde se escondia o desconhecido. Finalmente, meu pé estava na soleira de seu esconderijo — seu segredo estava ao meu alcance.

Ao me aproximar da cabana, andando tão cautelosamente quanto Stapleton quando, com sua rede em riste, abordava uma borboleta em repouso, comprovei que o lugar de fato fora usado como habitação. Um caminho vago entre os rochedos levava à abertura dilapidada que fazia as vezes de porta. Tudo estava em silêncio no interior. O desconhecido poderia estar se esgueirando lá dentro ou rondando o pântano. Meus nervos formigavam com o senso de aventura. Jogando fora meu cigarro, empunhei o meu revólver e, indo rapidamente até a porta, olhei para dentro. O lugar estava vazio.

Mas havia fortes sinais de que eu não seguira uma pista falsa. Ali era certamente onde o homem vivia. Alguns cobertores enrolados num impermeável estavam sobre a mesma laje de pedra onde algum homem do Neolítico um dia se deitara. As cinzas de uma fogueira estavam amontoadas numa grelha rudimentar. Ao lado dela havia alguns utensílios de cozinha e um balde de água pela metade. Um monte de latas vazias mostrava que o lugar vinha sendo ocupado havia algum tempo, e vi, à medida que meus olhos foram se acostumando à iluminação precária, uma caneca de metal e uma garrafa de bebida pela metade num canto. No meio da cabana, uma pedra plana servia de mesa, e sobre ela havia um pequeno fardo de pano — o mesmo, sem dúvida, que eu vira pelo telescópio sobre o ombro do garoto. Ele continha um pão, uma lata de língua e duas de pêssegos em conserva. Quando o deixei sobre a mesa de novo, após tê-lo examinado, meu coração teve um sobressalto ao ver que ao lado dele havia uma folha de papel com uma frase escrita. Eu a peguei, e era isto que ela dizia, rabiscada irregularmente a lápis: "O Dr. Watson foi para Coombe Tracey".

Por um minuto, fiquei ali com a folha nas mãos, refletindo sobre o significado da curta mensagem. Era eu, então, e não Sir Henry, que estava sendo seguido por esse homem misterioso. Ele não me seguira pessoalmente, mas pusera um agente — o garoto, talvez — no meu encalço, e aquele era o relatório do assecla. Era possível que eu não tivesse dado um passo, desde que chegara ao pântano, sem ter sido observado e relatado. Sempre havia essa sensação de uma força invisível, uma fina rede tecida ao nosso redor, com habilidade e delicadeza infinitas, enlaçando-nos tão levemente que era apenas em algum instante supremo que percebíamos o quanto estávamos enredados em seus fios.

Se havia um relatório, poderia haver outros, por isso vasculhei a cabana à procura deles. Não achei nem sinal, todavia, de nada parecido, tampouco pude descobrir qualquer pista capaz de indicar o caráter ou as intenções do homem que morava naquele lugar singular, à parte que ele devia ter hábitos espartanos e pouco se importar com os confortos da vida. Quando pensei nas chuvas fortes e olhei para o telhado incompleto, entendi quão forte e imutável devia ser o propósito que o mantivera em tão inóspita morada. Era ele nosso maligno inimigo ou porventura nosso anjo da guarda? Jurei que não sairia da cabana até descobrir.

Lá fora, o sol estava se pondo e o ocidente brilhava, escarlate e dourado. Seu reflexo era devolvido em retalhos irregulares pelas poças distantes que se espalhavam pelo grande Charco de Grimpen. Lá estavam as duas torres de Baskerville Hall, e uma nuvem de fumaça distante que assinalava a aldeia de

O HOMEM SOBRE O ROCHEDO

Grimpen. Entre os dois lugares, além da colina, havia a casa dos Stapleton. Tudo era doce, suave e calmo à luz dourada do entardecer, no entanto, enquanto eu olhava, meu espírito não compartilhava em nada essa paz da natureza, mas tremia com a incerteza e o terror do encontro que cada instante tornava mais iminente. Com os nervos à flor da pele, mas um propósito inabalável, sentei-me na penumbra da cabana e esperei, com grave paciência, a chegada de seu ocupante.

E então, finalmente, eu o ouvi. De longe veio o estalo agudo de uma bota batendo numa pedra. Então outro e mais outro, cada vez mais perto. Encolhi-me no canto mais escuro e engatilhei a pistola no bolso, determinado a não me revelar até ter uma oportunidade de vislumbrar o desconhecido. Houve uma longa pausa, que revelava que ele havia parado. Então, mais uma vez, os passos se aproximaram e uma sombra apareceu na abertura da cabana.

— Está uma tarde adorável, meu caro Watson — disse uma voz muito conhecida. — Acho realmente que você se sentiria melhor lá fora do que aqui dentro.

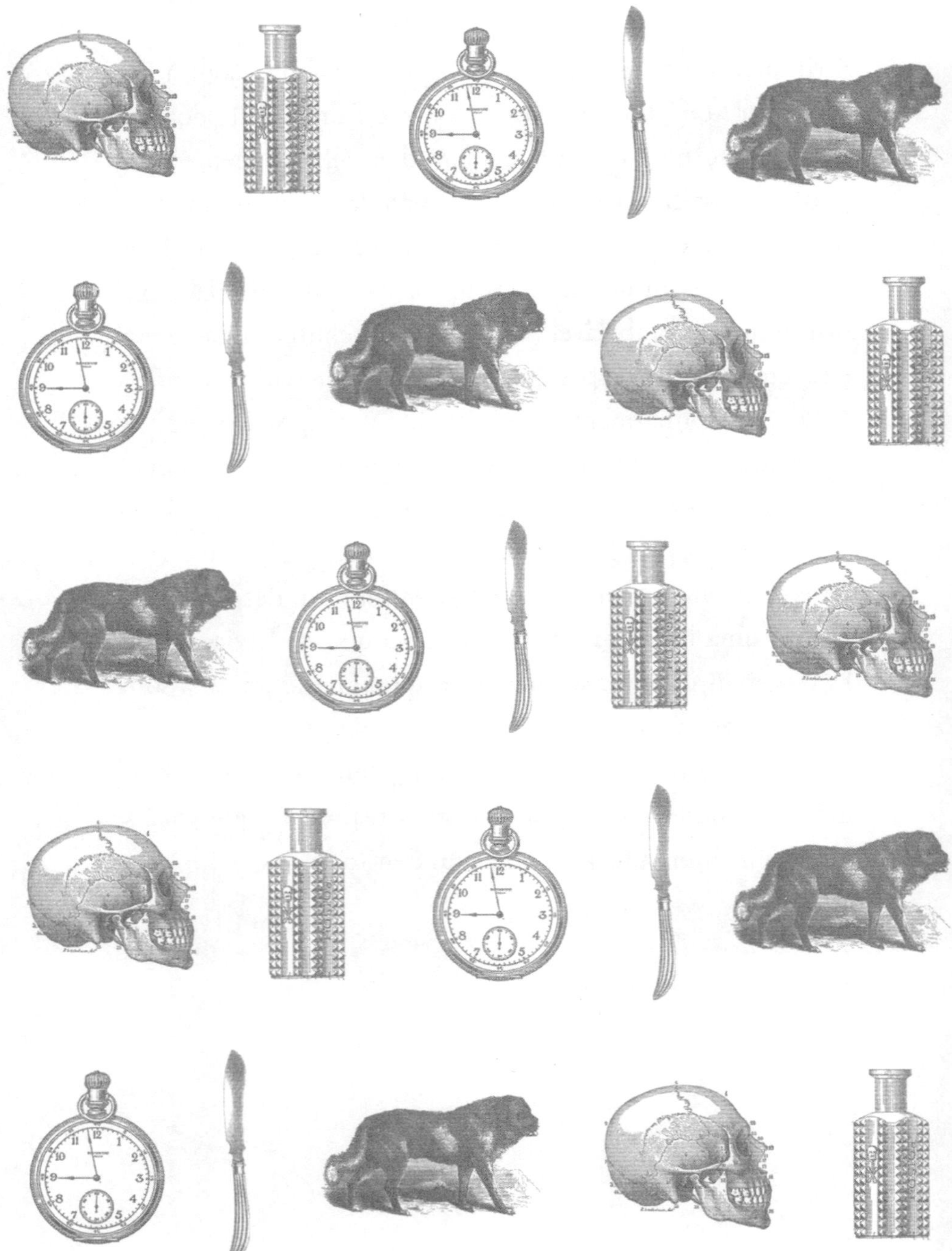

doze
MORTE NO PÂNTANO

Por um instante ou dois fiquei sem fôlego, quase incapaz de acreditar nos meus ouvidos. Então meus sentidos e minha voz retornaram, enquanto um peso esmagador de responsabilidade pareceu ser retirado da minha alma num segundo. Aquela voz fria, incisiva e irônica só poderia pertencer a um homem em todo o mundo.

— Holmes! — gritei. — Holmes!

— Saia — ele disse —, e por favor, tome cuidado com esse revólver.

Abaixei-me ao passar sob o rústico umbral, e lá estava ele, sentado numa pedra do lado de fora, seus olhos cinzentos cheios de diversão ao divisarem meu semblante estarrecido. Ele estava magro e exausto, mas lúcido e alerta, seu rosto astuto bronzeado pelo sol e castigado pelo vento. Em seu terno de *tweed* e gorro de caça, parecia apenas mais um turista em visita ao pântano, e conseguira, com aquele apego felino à higiene pessoal que era uma de suas características, manter seu queixo tão liso e sua camisa tão perfeita quanto sempre estiveram na Baker Street.

— Nunca fiquei mais feliz por ver alguém na minha vida — eu disse, enquanto apertava-lhe a mão.

— Nem mais assombrado, hein?

— Bem, devo confessar que sim.

— A surpresa não foi só de sua parte, garanto. Eu não fazia ideia de que você havia encontrado meu retiro ocasional, muito menos que estava dentro dele, até chegar a vinte passos da porta.

— Minhas pegadas, presumo?

— Não, Watson, infelizmente, eu não poderia reconhecer sua pegada entre todas as pegadas do mundo. Se você realmente quiser me enganar, precisa mudar de tabacaria; pois quando vejo um toco de cigarro marca Bradley, da Oxford Street, sei que meu amigo Watson está nas proximidades. Você pode vê-lo ali, ao lado do caminho. Você o jogou, sem dúvida, no instante supremo em que irrompeu na cabana vazia.

— Exato.

— Imaginei isso; e conhecendo sua tenacidade admirável, convenci-me de que você estava emboscado, com uma arma ao alcance da mão, esperando que o ocupante voltasse. Então realmente achou que eu fosse o criminoso?

— Eu não sabia quem você era, mas estava determinado a descobrir.

— Excelente, Watson! E como me localizou? Você me viu, talvez, na noite da caçada ao preso, quando fui imprudente a ponto de permitir que a lua nascesse atrás de mim?

— Sim, vi você naquela noite.

— E procurou, sem dúvida, em todas as cabanas até chegar a esta?

— Não, seu garoto foi observado, e isso me revelou onde procurar.

— O velho cavalheiro com o telescópio, sem dúvida. Não o avistei quando vi pela primeira vez a luz refletida na lente. — Ele se levantou e espiou dentro da cabana. — Ha, vejo que Cartwright trouxe alguns suprimentos. O que é esta folha? Então você esteve em Coombe Tracey?

— Sim.

— Para ver a Sra. Laura Lyons?

— Exato.

— Muito bem! Nossas pesquisas evidentemente seguem linhas paralelas, e quando unirmos nossos resultados, espero que tenhamos um conhecimento bastante completo do caso.

— Bem, fico feliz, de coração, que você esteja aqui, pois a responsabilidade e o mistério estavam se tornando demais para os meus nervos. Mas como, em nome de Deus, você chegou aqui, e o que andou fazendo? Pensei que estivesse na Baker Street, trabalhando naquele caso de chantagem.

— Isso era o que eu queria que você pensasse.

— Então você me usa, no entanto não confia em mim!

— exclamei, um tanto amargurado. — Acho que eu merecia um tratamento melhor de você, Holmes.

— Caro amigo, você foi inestimável para mim neste, como em muitos outros casos, e rogo que me perdoe se pareço ter pregado uma peça em você. Na verdade, foi em parte pelo seu bem que o fiz, e foi meu reconhecimento do perigo que você corria que me levou a vir para cá e examinar a questão pessoalmente. Se eu estivesse com Sir Henry e com você, é evidente que meu ponto de vista seria igual ao seu, e minha presença teria alertado nossos mui formidáveis oponentes, colocando-os em guarda. Destarte, fui capaz de me movimentar como não teria sido possível caso eu estivesse hospedado na mansão, e permaneço um fator incógnito no caso, pronto para investir com todas as forças num momento crítico.

— Mas por que manter-me às escuras?

— Você saber não nos teria ajudado, e poderia, possivelmente, ter feito com que eu fosse descoberto. Você ia querer me contar algo ou, com seu bom coração, ter-me-ia trazido este ou aquele conforto, e assim, correríamos um risco desnecessário. Eu trouxe Cartwright comigo, você se lembra do camaradinha da agência de mensageiros, e ele tem cuidado de minhas simples necessidades: uma côdea de pão e uma camisa limpa. O que mais pode um homem querer? Ele me proporciona um par extra de olhos, movidos por um par muito ativo de pés, e ambos têm sido de grande valia.

— Então meus relatórios foram todos desperdiçados!

— Minha voz tremia ao lembrar o esforço e o orgulho com que eu os compilara.

Holmes tirou um maço de papéis do bolso.

— Aqui estão seus relatórios, meu caro amigo, e muito compulsados, posso garantir. Fiz preparativos excelentes, que foram adiados só por um dia e estão a caminho. Devo cumprimentá-lo com veemência pelo zelo e astúcia que você demonstrou num caso extraordinariamente difícil.

Eu ainda estava um tanto agastado pelo engodo praticado às minhas custas, mas o calor do elogio de Holmes eliminou a raiva da minha mente. Eu também achava, no fundo, que ele estava certo no que dissera, e que fora realmente melhor para nosso objetivo que eu não soubesse de sua presença no pântano.

—Assim está melhor — ele disse, vendo meu rosto desanuviar-se. — E agora, conte-me o resultado de sua visita à Sra. Laura Lyons — não me foi difícil concluir que o motivo de sua viagem era vê-la, pois já estou ciente de que ela é a única pessoa em Coombe Tracey que pode nos ser útil no caso. Aliás, se você não tivesse ido hoje, muito provavelmente eu teria ido vê-la amanhã.

O sol se pusera e o crepúsculo caía sobre o pântano. O ar esfriara, e entramos na cabana para nos aquecer. Ali, sentado com Holmes ao escurecer, relatei-lhe minha conversa com a dama. Tão interessado ele estava que precisei repetir parte dela duas vezes antes que ele se desse por satisfeito.

— Isso é de suma importância — ele disse depois que concluí. — Preenche uma lacuna que não fui capaz de completar neste caso tão complexo. Você porventura está a par de que existe uma grande intimidade entre essa dama e o tal de Stapleton?

— Eu não sabia dessa grande intimidade.

— Não resta dúvida quanto a isso. Eles se encontram, se escrevem, há um entendimento completo entre os dois. Bem, isso põe uma arma assaz poderosa em nossas mãos. Se eu puder usá-la para isolar a esposa dele...

— A esposa dele?

— Estou dando a você uma informação, agora, para retribuir tudo o que você me deu. A dama que se passa aqui como Srta. Stapleton é, na verdade, esposa dele.

— Pelos céus, Holmes! Tem certeza do que está dizendo? Como ele poderia ter permitido que Sir Henry se apaixonasse por ela?

— A paixão de Sir Henry não prejudicaria ninguém além do próprio. Stapleton tomou bastante cuidado para que Sir Henry não *consumasse* seu amor por ela, como você mesmo observou. Repito que a dama é esposa dele, e não sua irmã.

— Mas por que essa farsa complexa?

— Porque ele antecipava que ela lhe seria muito mais útil no papel de uma mulher livre.

Todos os meus instintos indefinidos, minhas suspeitas vagas, de repente tomaram forma e se concentraram no naturalista. Naquele homem sem cor e impassível, com seu chapéu de palha e sua rede de borboletas, eu parecia ver algo terrível — uma criatura de infinita paciência e habilidade, com um rosto sorridente e um coração assassino.

— É ele, então, nosso inimigo... foi ele que nos seguiu em Londres?

— É assim que interpreto o enigma.

— E o aviso... deve ter vindo dela!

— Exatamente.

A forma de uma vilania monstruosa, em parte sentida, em parte suposta, se agigantava através da escuridão que por tanto tempo me cercara.

— Mas tem certeza disso, Holmes? Como sabe que a mulher é esposa dele?

— Porque ele se distraiu a ponto de contar a você um fato autobiográfico verdadeiro, quando vocês se conheceram, e ouso dizer que ele já deve ter lamentado isso muitas vezes desde então. Ele *teve* mesmo uma escola no norte da Inglaterra. Ora, ninguém é mais fácil de ser rastreado do que um diretor de escola. Existem órgãos educacionais onde é possível identificar qualquer homem que já exerceu esse ofício. Uma breve investigação me mostrou que uma escola sofreu de circunstâncias atrozes e que o seu proprietário, o nome era outro, desapareceu com a esposa. As descrições coincidiam. Quando eu soube que o desaparecido se dedicava à entomologia, a identificação ficou completa.

A escuridão se dissipava, mas muita coisa continuava escondida nas sombras.

— Se essa mulher é de fato sua esposa, onde entra a Sra. Laura Lyons? — perguntei.

— Esse é um dos aspectos sobre os quais as pesquisas que você fez lançaram luz. Seu colóquio com a dama esclareceu muito a situação. Eu não sabia que ela tencionava se divorciar do marido. Nesse caso, considerando Stapleton um homem solteiro, ela pretendia, sem dúvida, tornar-se sua esposa.

— E quando ela for desiludida?

— Ora, então ela pode ser-nos útil. Nossa primeira tarefa será ir vê-la, nós dois, amanhã. Não acha, Watson, que você está longe de seu tutelado há muito tempo? Seu lugar deveria ser em Baskerville Hall.

As últimas listras vermelhas haviam desaparecido no poente e a noite caíra sobre o pântano. Algumas estrelas tênues brilhavam num céu violeta.

— Uma última pergunta, Holmes — eu disse ao me levantar. — Decerto que não há necessidade de segredos entre mim e você. Qual o significado de tudo isso? O que ele busca?

A voz de Holmes ficou grave ao responder.

— É assassinato, Watson; assassinato refinado, deliberado, a sangue frio. Não me peça detalhes. Minhas redes estão se fechando sobre ele, assim como as dele sobre Sir Henry, e com a ajuda que você me deu, ele está quase à minha mercê. Só existe um perigo que pode nos ameaçar: que ele ataque antes de que estejamos preparados para tanto. Mais um dia, dois no máximo, e meu caso estará completo, mas até lá, vigie seu tutelado tão de perto quanto a mãe mais amorosa vela um filho doente. Sua missão hoje se justificou, no entanto, quase gostaria que você não tivesse saído de perto... Escute!

Um grito terrível — um prolongado uivo de horror e angústia — explodiu do silêncio do pântano. Aquele urro pavoroso transformou em gelo o sangue em minhas veias.

— Meu Deus! — gemi. — O que é isso? O que significa?

Holmes saltara de pé, e vi sua silhueta escura e atlética na porta da cabana, de ombros caídos, cabeça projetada para a frente, seu rosto vasculhando a escuridão.

— Quieto! — ele sussurrou. — Quieto!

O grito fora alto por conta de sua veemência, mas partia de algum lugar distante na planície escura. Agora explodia em nossos ouvidos, mais próximo, mais alto, mais urgente do que antes.

— Onde está? — Holmes sussurrou; e eu percebi pelo frêmito em sua voz que ele, o homem de ferro, estava abalado até a alma. — Onde está, Watson?

— Ali, eu acho — apontei na escuridão.

— Não, ali!

Mais uma vez, o uivo agonizante varreu a noite silenciosa, mais alto e mais próximo do que nunca. E um novo som se misturou a ele, um trovejar profundo e gutural, musical e no entanto ameaçador, aumentando e diminuindo como o murmúrio grave e constante do mar.

— O cão! — gritou Holmes. — Venha, Watson, venha! Pelos céus, se já for tarde demais!

Ele saiu correndo rapidamente pelo pântano, e eu segui em seu encalço. Mas agora, de algum lugar em meio ao solo acidentado imediatamente à nossa frente, chegou um último urro desesperador, e finalmente um baque surdo e pesado. Paramos e ficamos à escuta. Nenhum outro som perturbou o grave silêncio da noite sem vento.

Vi Holmes pôr a mão na testa, como um homem atordoado. Ele bateu com os pés no chão.

— Ele nos venceu, Watson. Chegamos tarde demais.

— Não, não, certamente não!

— Tolo que fui em me conter. E você, Watson, veja no que dá abandonar seu protegido! Mas, pelos céus, se tiver acontecido o pior, hei de vingá-lo!

Cegamente corremos pelas trevas, tropeçando em pedregulhos, abrindo caminho em meio a moitas de tojo, ofegando morros acima e desabalando encostas abaixo, rumando sempre na direção de onde partiram os horripilantes sons. Parando em cada elevação, Holmes olhava ansiosamente ao seu redor, mas as sombras eram espessas no pântano e nada se movia sobre sua face macabra.

— Consegue ver algo?

— Nada.

— Mas ouça, o que é isso?

Um gemido baixo chegava-nos aos ouvidos. Lá estava ele, novamente à nossa esquerda! Daquele lado, uma escarpa de rochedos terminava num penhasco íngreme que dominava uma encosta pedregosa. Sobre sua superfície acidentada, jazia espalhado um objeto escuro e irregular. À medida que nos aproximávamos, o contorno vago se consolidava numa forma definida. Era um homem prostrado de bruços no chão, com a cabeça dobrada sob o corpo num ângulo horrível, os ombros encolhidos e o corpo encurvado, como que no ato de dar uma cambalhota. Tão grotesca era a posição que não me dei conta imediatamente de que o gemido fora seu último suspiro. Nem um murmúrio, nem um farfalhar vinham agora da escura forma sobre a qual nos debruçávamos. Holmes pôs a mão sobre ela e logo a encolheu, com uma exclamação de horror. O brilho do fósforo que ele riscou iluminou seus dedos manchados e a horripilante poça que aumentava lentamente a partir do crânio esmagado da vítima. E brilhava sobre outra coisa que afligiu e enfraqueceu nossos corações — o corpo de Sir Henry Baskerville!

Não havia como esquecermos aquele peculiar terno avermelhado de *tweed* — o mesmo que ele usava na primeira manhã que o encontramos na Baker Street. Vimo-lo claramente de relance, e então o fósforo bruxuleou e se apagou, como a esperança que abandonava nossas almas. Holmes gemeu, e seu rosto reluziu, pálido, na escuridão.

— O bruto! O bruto! — eu gritava com os punhos cerrados. — Oh, Holmes, jamais hei de me perdoar por tê-lo abandonado à sua sorte.

— Eu tenho mais culpa do que você, Watson. Para ter meu caso bem acabado e completo, joguei fora a vida do meu cliente. É o maior golpe que já recebi em minha carreira. Mas como eu poderia saber, como eu *poderia* saber, que ele arriscaria a vida sozinho no pântano, apesar de todos os meus avisos?

— E nós ouvimos seus gritos, meu Deus, aqueles gritos!, e mesmo assim fomos incapazes de salvá-lo! Onde está esse cão brutal que o levou à morte? Pode estar se esgueirando entre estes rochedos agora mesmo. E Stapleton, onde ele está? Responderá por este ato.

— Responderá. Cuidarei disso. Tio e sobrinho foram assassinados; um, morto de pavor apenas pela visão de uma fera que ele pensava ser sobrenatural, o outro impelido ao seu fim em sua desabalada corrida para fugir dela. Mas agora precisamos provar a ligação entre o homem e a fera. À parte o que ouvimos, não podemos nem jurar pela existência desta última, já que Sir Henry, evidentemente, morreu em decorrência da queda. Mas, pelos céus, por mais ardiloso que seja, o camarada estará em meu poder antes que passe mais um dia!

Conservávamo-nos, com corações pesarosos, de ambos os lados do corpo deformado, oprimidos por aquele desastre repentino e irrevogável que trouxera a um termo tão patético toda a nossa longa e cansativa labuta. Então, quando a lua surgiu, escalamos até o topo das rochas de onde nosso pobre amigo caíra, e do alto contemplamos o sombrio pântano, meio a meio banhado de prata e trevas. Bem longe, a quilômetros, na direção de Grimpen, uma luz amarela firme e solitária brilhava. Ela só podia vir da morada solitária dos Stapleton. Com uma praga amarga, agitei meu punho ao olhá-la.

— Por que já não o prendemos?

— Nosso caso não está completo. O camarada é prudente e astuto no mais alto grau. Não importa o que sabemos, mas o que podemos provar. Se dermos um passo em falso, o canalha ainda conseguirá nos escapar.

— O que podemos fazer?

— Teremos muito o que fazer amanhã. Esta noite, só nos resta cumprir os últimos ritos para nosso pobre amigo.

Juntos descemos o íngreme precipício e nos aproximamos do corpo, negro e visível sobre as argênteas rochas. A agonia daqueles membros contorcidos causava-me um espasmo de dor e enchia-me os olhos de lágrimas.

— Precisamos pedir ajuda, Holmes! Não conseguiremos carregá-lo até a mansão. Pelos céus, ficou louco?

Ele dera um grito e se curvara sobre o corpo. Agora dançava, ria e apertava a minha mão. Esse poderia ser meu amigo sisudo e comedido? Aquelas eram de fato chamas ocultas!

— Barba! Barba! O homem tem barba!

— Barba?

— Não é o baronete... é... ora, é o meu vizinho, o fugitivo!

Com pressa febril viramos o corpo e aquela barba gotejante apontava para o claro e frio luar. Não havia dúvida quanto à testa estreita, os olhos fundos e animalescos. Era, de fato, o mesmo rosto que me encarara à luz da vela de cima do rochedo — o rosto de Selden, o criminoso.

Então, num instante, tudo se aclarou para mim. Lembrei como o baronete me contara que havia cedido suas antigas roupas a Barrymore. Barrymore, por sua vez, dera-as a Selden para ajudá-lo a escapar. Botas, camisa, gorro — tudo era de Sir Henry. A tragédia continuava terrível, mas ao menos aquele homem merecia a morte, pelas leis do país. Relatei a Holmes essa situação, com meu coração borbulhando de gratidão e alegria.

— Então as roupas foram a morte do pobre-diabo — ele disse. — Está bastante claro que o cão foi açulado usando algum artigo de Sir Henry — a bota que lhe foi subtraída no hotel, muito provavelmente — e atacou este homem. Há algo muito singular, todavia: como Selden, na escuridão, sabia que o cão estava em seu encalço?

— Ele o ouviu.

— Ouvir um cão no pântano não causaria num bruto como este um tal paroxismo de terror que o levasse a gritar loucamente por ajuda. Pelos seus gritos, ele deve ter corrido muito, depois de perceber que o animal o perseguia. Como ele percebeu?

— Um mistério maior, para mim, é por que esse cão, presumindo que todas as nossas conjecturas estejam corretas...

— Eu não presumo nada.

— Bem, então, por que esse cão deveria estar à solta esta noite. Suponho que ele nem sempre vague livremente pelo pântano. Stapleton não o soltaria se não tivesse motivos para crer que Sir Henry estaria aqui.

— Minha dificuldade é a mais formidável das duas, pois acredito que muito em breve teremos a explicação da sua, ao passo que a minha pode continuar para sempre um mistério. A questão agora é: o que faremos com o corpo desse infeliz? Não podemos deixá-lo aqui, à mercê das raposas e corvos.

— Sugiro que o ponhamos numa das cabanas até podermos entrar em contato com a polícia.

— Exatamente. Não tenho dúvidas de que conseguiremos carregá-lo até lá. Ora, Watson, o que é isso? É o sujeito em pessoa, em nome de toda a maravilha e audácia! Nem uma palavra que revele suas suspeitas; nem uma palavra ou meu planos cairão por terra.

Uma figura estava se aproximando de nós, vindo do pântano, e eu via o fraco brilho avermelhado de um charuto. A lua o iluminava, e eu podia distinguir a forma elegante e o passo ágil do naturalista. Ele parou ao nos ver, e então veio até nós.

— Ora, Dr. Watson, não é o senhor, é? É a última pessoa que eu esperava ver no pântano a esta hora da noite. Mas, pelos céus, o que é isto? Alguém se feriu? Não... não me diga que é o nosso amigo, Sir Henry!

Ele passou por mim, apressado, e se curvou sobre o morto. Ouvi sua inspiração rápida e o charuto caiu de seus dedos.

— Quem... quem é este? — ele gaguejou.

— É Selden, o homem que fugiu de Princetown.

Stapleton virou o rosto horrorizado na nossa direção, mas com um esforço supremo, conseguiu superar sua perplexidade e decepção. Ele olhou intensamente para mim e Holmes.

— Céus! Que acontecimento chocante! Como ele morreu?

— Parece ter quebrado o pescoço ao cair sobre estas pedras. Meu amigo e eu estávamos passeando no pântano quando ouvimos um grito.

— Também ouvi um grito. Por isso vim para cá. Eu estava preocupado com Sir Henry.

— Por que com Sir Henry em particular? — não pude deixar de perguntar.

— Porque ele sugerira que viria à minha casa. Quando ele não chegou, fiquei surpreso e naturalmente alarmado, temendo por sua segurança ao ouvir gritos no pântano. A propósito — seus olhos correram novamente do meu rosto para o de Holmes —, os senhores ouviram alguma coisa além de um grito?

— Não — disse Holmes —; o senhor ouviu?

— Não.

— A que se refere, então?

— Oh, o senhor conhece as histórias que os camponeses contam sobre um cão fantasma, e por aí vai. Dizem que ele pode ser ouvido à noite no pântano. Eu me perguntava se houve algum indício desse som esta noite.

— Não ouvimos nada disso — respondi.

— E qual a sua teoria sobre a morte deste pobre camarada?

— Não tenho dúvidas de que a ansiedade e a exposição às intempéries o fizeram perder o juízo. Ele correu pelo pântano num estado tresloucado e acabou caindo aqui e quebrando o pescoço.

— Parece a teoria mais razoável — disse Stapleton, e suspirou, o que interpretei como uma indicação de seu alívio. — O que acha disso, Sr. Sherlock Holmes?

Meu amigo o cumprimentou com um movimento da cabeça.

— O senhor é rápido na identificação — ele disse.

— Esperamos o senhor por estes lados desde que o Dr. Watson veio. Chegou a tempo de presenciar uma tragédia.

— Deveras. Não tenho dúvidas de que a explicação do meu amigo justificará os fatos. Levarei uma recordação desagradável comigo para Londres amanhã.

— Oh, vai voltar amanhã?

— É a minha intenção.

— Espero que sua visita tenha esclarecido os acontecimentos que tanto nos intrigaram.

Holmes deu de ombros.

— Nem sempre logramos o êxito que esperamos. Um investigador precisa de fatos, não de lendas ou rumores. Este não foi um caso satisfatório.

Meu amigo falava da forma mais franca e despreocupada. Stapleton ainda o olhava intensamente. Então voltou-se para mim.

— Eu sugeriria que levássemos este pobre sujeito até minha casa, mas isso apavoraria tanto minha irmã que não vejo justificativa em fazê-lo. Acho que se cobrirmos seu rosto com alguma coisa, ele permanecerá intacto até o amanhecer.

E assim se fez. Resistindo à hospitalidade de Stapleton, Holmes e eu partimos para Baskerville Hall, deixando o naturalista regressar sozinho. Olhando para trás, vimos sua figura afastando-se lentamente pelo vasto pântano, e atrás dele, a mancha preta na encosta dourada que mostrava onde o homem caíra ao encontrar seu terrível destino.

— Estamos perto da captura, finalmente — disse Holmes enquanto caminhávamos através do pântano. — Que audácia a desse sujeito! O modo como ele se controlou, face ao que deve ter sido um choque paralisante ao descobrir que o homem errado foi a vítima de seu ardil. Eu disse a você em Londres, Watson, e repito agora, que jamais tivemos um inimigo mais digno do nosso aço.

— Lamento que ele tenha visto você.

— Também lamentei, de início. Mas não havia como evitar.

— Que efeito você acha que isso terá sobre seus planos, agora que ele sabe que você está aqui?

— Pode levá-lo a ser mais cauteloso, ou impeli-lo a tomar medidas desesperadas de vez. Como a maioria dos criminosos astutos, talvez ele pode confie demais em sua astúcia e imagine que nos enganou compeletamente.

— Por que não o prendemos já?

— Meu caro Watson, você nasceu para ser um homem de ação. Seu instinto é sempre o de fazer algo enérgico. Mas suponho, para fins argumentativos, que o prendêssemos esta noite, em que isso nos beneficiaria? Não poderíamos provar nada contra ele. Nisso reside a astúcia diabólica da coisa! Se ele estivesse fazendo uso de um agente humano, poderíamos obter alguma prova, mas mesmo se conseguíssemos trazer à luz do dia esse enorme cão, ele não nos ajudaria a pôr um nó de forca no pescoço de seu dono.

— Certamente nós temos provas suficientes.

— Nem por um sonho; apenas suposições e conjecturas. A corte cairia na gargalhada se apresentássemos esta história e estas provas.

— Há a morte de Sir Charles.

— Encontrado morto sem nenhuma marca de violência. Você e eu sabemos que ele morreu de puro terror, e também sabemos o que o assustou; mas como convenceríamos disso doze jurados incrédulos? Que sinais há de um cão? Onde estão as marcas de suas presas? Naturalmente, sabemos que um cão não morde um cadáver, e que Sir Charles estava morto antes mesmo que o bruto o alcançasse. Mas precisamos *provar* tudo isso, e não estamos em posição de fazê-lo.

— E esta noite, então?

— Esta noite não melhorou muito as coisas. Mais uma vez, não há nenhuma conexão direta entre o cão e a morte do homem. Não vimos o cão. Nós o ouvimos; mas não poderíamos provar que ele estava no encalço deste homem. Há uma ausência total de motivo. Não, caro amigo; precisamos nos conformar com o fato de que no momento não temos provas suficientes, e que vale a pena correr qualquer risco para obtê-las.

— E como você propõe que façamos isso?

— Tenho grandes esperanças do que a Sra. Laura Lyons poderá fazer por nós quando a situação do caso lhe for apresentada. E também tenho o meu próprio plano. O mal que enfrentaremos amanhã é grande; mas espero tomar a dianteira deste caso antes do final do dia.

Não pude arrancar mais nada de Holmes, que continuou andando, perdido em pensamentos, até os portões da mansão de Baskerville.

— Você vai entrar?

— Sim; não vejo razão para continuar escondido. Mas uma última palavra, Watson. Não diga nada sobre o cão a Sir Henry. Deixe-o pensar que a morte de Selden aconteceu como Stapleton quer que acreditemos. Ele estará mais tranquilo para a provação que precisará enfrentar amanhã, quando deve, se bem me lembro do seu relatório, jantar com essa gente.

— Eu irei também.

— Então invente uma desculpa e deixe que ele vá sozinho. Isso será fácil. E agora, se chegamos tarde demais para o jantar, acho que estamos prontos para a ceia.

treze
AJUSTANDO AS REDES

Sir Henry ficou mais feliz do que surpreso em ver Sherlock Holmes, pois já havia alguns dias ele esperava que os acontecimentos recentes o trouxessem de Londres. Ergueu as sobrancelhas, porém, quando soube que meu amigo não trazia nem bagagens, nem explicações para a ausência destas. Eu e o baronete logo lhe fornecemos o necessário, e então, numa ceia tardia, eu e Holmes explicamos ao baronete nossas experiências, até onde achamos desejável que ele soubesse. Mas primeiro eu tive a tarefa desagradável de dar a notícia da morte de Selden a Barrymore e à esposa. Para ele pode ter sido um alívio incondicional, mas ela chorou amargamente em seu avental. Para todo o mundo, ele era um homem violento, meio animal e meio demônio; mas para ela, ele sempre continuou sendo o garotinho voluntarioso de sua juventude, a criança que se agarrava à sua mão. Quão perverso há de ser o homem que não tiver uma só mulher para chorar sua morte.

— Fiquei me aborrecendo em casa o dia todo, desde que Watson saiu pela manhã — disse o baronete. — Acho que mereço algum reconhecimento, já que mantive minha promessa. Se eu não tivesse jurado não sair sozinho, minha tarde teria sido mais animada, já que recebi um bilhete de Stapleton convidando-me para ir visitá-lo.

— Não tenho dúvidas de que sua tarde teria sido mais animada — disse Holmes secamente. — A propósito, imagino que não se comoverá ao saber que choramos pelo senhor, achando que tivesse quebrado o pescoço.

Sir Henry abriu os olhos.

— Como foi isso?

— Aquele miserável estava usando suas roupas. Infelizmente, acho que seu criado, que as deu a ele, poderá ver-se em apuros com a polícia.

— Improvável. Não havia nenhuma identificação nelas, até onde sei.

— Sorte a dele; aliás, sorte de todos vocês, já que estão todos do lado errado da lei nessa questão. Não sei ao certo se, como detetive conscienciso, meu primeiro dever não seria prender todos aqui. Os relatórios de Watson são documentos altamente incriminatórios.

— Mas e o caso? — perguntou o baronete. — Conseguiu desemaranhar essa maçaroca? Watson e eu não avançamos muito desde que aqui chegamos.

— Acho que poderei tornar a situação um pouco mais clara para o senhor em breve. Este é um negócio incrivelmente difícil e complexo. Há vários aspectos dele sobre os quais ainda precisamos lançar luz... mas isso há de acontecer.

— Tivemos uma experiência, como Watson sem dúvida lhe contou. Ouvimos o cão no pântano, portanto, posso jurar que nem tudo é superstição vazia. Lidei com cães quando estava no Oeste, e reconheço um quando ouço. Se o senhor conseguir pôr focinheira e corrente neste, jurarei prontamente que é o maior detetive de todos os tempos.

— Acho que vou pôr focinheira e corrente nele, sim, se o senhor me ajudar.

— O que me mandar fazer, eu faço.

— Muito bem; e também vou pedir que o senhor faça cegamente, sem ficar sempre perguntando o motivo.

— Como quiser.

— Se aceitar fazer isto, acho provável que nosso probleminha logo seja resolvido. Não tenho dúvidas...

Ele se interrompeu de súbito e olhou fixamente um ponto acima da minha cabeça. A lâmpada brilhava em seu rosto, que estava tão concentrado e imóvel que poderia pertencer a uma estátua clássica de traços delicados, a personificação do alerta e da expectativa.

— O que foi? — ambos exclamamos.

Eu podia ver, quando Holmes baixou os olhos, que ele estava reprimindo internamente alguma emoção. Seu semblante ainda era controlado, mas seus olhos brilhavam com uma exultação divertida.

— Perdoe a admiração de um especialista — ele disse, gesticulando para a fileira de retratos que cobriam a parede oposta. — Watson não admite que eu tenha qualquer conhecimento de arte, mas isso é pura inveja, só porque nossas opiniões sobre o assunto divergem. Mas essa é uma esplêndida série de retratos.

— Bem, fico feliz em ouvir isso — disse Sir Henry, olhando para o meu amigo com alguma surpresa. — Não pretendo saber demais sobre o assunto, e avaliaria melhor um cavalo ou um boi do que um retrato. Não sabia que o senhor encontrava tempo para essas coisas.

— Sei o que é bom quando vejo, e estou vendo agora. Aquele é um Kneller, juro, aquela dama em seda azul, ali, e o cavalheiro robusto de peruca deve ser um Reynolds. São todos retratos de família, presumo.

— Todos.

— Sabe os nomes deles?

— Barrymore andou me ensinando, e acho que consigo repetir o que aprendi bastante bem.

— Quem é o cavalheiro de telescópio?

— Aquele é o contra-almirante Baskerville, que serviu sob o comando de Rodney nas Índias Ocidentais. O homem de casaco azul com o rolo de papel é Sir William Baskerville, que era Presidente das Comissões da Câmara dos Comuns na legislatura de Pitt.

— E este monarquista diante de mim, de veludo preto com rendas?

— O senhor tem o direito de saber sobre ele. Esse é a causa de todos os infortúnios, o perverso Hugo, que deu origem ao Cão dos Baskerville. Provavelmente, não o esqueceremos.

Olhei com interesse e alguma surpresa para o retrato.

— Céus! — dise Holmes. — Parece ser um sujeito bastante calmo e dócil, mas ousaria dizer que havia um demônio escondido em seus olhos. Eu o imaginava um tipo mais robusto e valentão.

— Não há dúvida quanto à autenticidade, pois o nome e a data, 1647, estão no verso da tela.

Holmes falou pouco mais, mas o retrato do velho arruaceiro parecia fasciná-lo, e seus olhos estavam constantemente pregados nele durante a ceia. Só mais tarde, depois que Sir Henry retirou-se para seus aposentos, pude seguir o rumo dos seus pensamentos. Ele me levou de volta ao salão de jantar, com sua vela noturna na mão, e a levantou perto do retrato manchado pelo tempo na parede.

— Está vendo alguma coisa?

Olhei para o largo chapéu emplumado, as madeixas cacheadas, o colarinho branco de renda e o rosto sério e austero emoldurado por eles. Não era uma catadura brutal, mas era elegante, rígida e sóbria, com uma boca firme de lábios finos e olhos frios e intolerantes.

— Parece com alguém que você conhece?

— Tem algo de Sir Henry no maxilar.

— Só uma sugestão, talvez. Mas espere um instante!

Ele subiu numa cadeira e, com o lume na mão esquerda, curvou o braço direito sobre o chapelão e as longas madeixas.

— Pelos céus! — exclamei estarrecido.

O rosto de Stapleton saltara da tela.

— Ah, agora você vê. Meus olhos foram treinados para examinar rostos, e não seus adereços. A primeira qualidade de um investigador criminal é conseguir ver através de um disfarce.

— Mas isso é maravilhoso. Poderia ser um retrato dele.

— Sim, é uma instância interessante de atavismo, que parece ser tanto físico quanto espiritual. Um estudo dos retratos de família é o bastante para converter alguém à doutrina da reencarnação. O sujeito é um Baskerville, isso é evidente.

— Com planos para a sucessão.

— Exatamente. Esse acaso do retrato forneceu um dos nossos mais óbvios elos perdidos. Nós o pegamos, Watson, nós o pegamos, e ouso jurar que antes de amanhã à noite ele estará esvoaçando em nossa rede, tão indefeso quanto uma de suas borboletas. Um alfinete, um tarugo de cortiça e um cartão, e poderemos acrescentá-lo à coleção da Baker Street!

Ele caiu num dos seus raros acessos de riso ao tirar os olhos do retrato. Eu não o ouvia rir com frequência, mas era sempre para infelicidade de alguém.

Levantei-me cedo na manhã seguinte, mas Holmes estava em movimento desde mais cedo ainda, pois o vi, enquanto me vestia, chegando à mansão.

AJUSTANDO AS REDES

— Sim, vamos ter um dia cheio hoje — ele comentou, e esfregou as mãos com a alegria da ação. — As redes foram todas instaladas, e o arrastão está para começar. Saberemos antes que o dia acabe se capturamos nosso lúcio de bico fino, ou se ele escapuliu por entre as malhas da rede.

— Você já esteve no pântano?

— Mandei um relatório de Grimpen para Princetown sobre a morte de Selden. Acho que posso prometer que nenhum de vocês terá aborrecimentos com essa questão. E também comuniquei-me com meu fiel Cartwright, que certamente teria definhado na porta de minha cabana, como um cão no túmulo do dono, se eu não o tranquilizasse quanto à minha segurança.

— Qual o próximo passo?

— Ir ver Sir Henry. Ah, aí está ele!

— Bom dia, Holmes — disse o baronete. — Você parece um general planejando uma batalha com seu comandante-em-chefe.

— A situação é exatamente essa. Watson estava pedindo suas ordens.

— Eu também.

— Ótimo. Você tem um compromisso, pelo que entendi, para jantar com nossos amigos, os Stapleton, esta noite.

— Espero que vocês também venham. Eles são muito hospitaleiros, e certamente ficariam felizes em vê-los.

— Infelizmente, Watson e eu precisamos voltar para Londres.

— Para Londres?

— Sim, acho que seremos mais úteis por lá, na atual conjuntura.

O rosto do baronete revestiu-se de perceptível desânimo.

— Eu esperava que vocês me ajudassem a enfrentar essa situação. A mansão e o pântano não são lugares tão agradáveis quando se está sozinho.

— Meu camarada, precisa confiar implicitamente em mim e fazer exatamente o que mando. Pode dizer aos seus amigos que teríamos ficado felizes em acompanhá-lo, mas que negócios urgentes exigiram nossa presença na cidade. Esperamos muito em breve voltar para Devonshire. Vai se lembrar de dar este recado?

— Se você insiste.

— Não há alternativa, garanto.

Percebi, pelo cenho franzido do baronete, que ele estava profundamente agastado pelo que considerava nossa deserção.

— Quando pretendem partir? — perguntou com frieza.

— Imediatamente após o desjejum. Iremos de carruagem para Coombe Tracey, mas Watson deixará suas coisas como garantia de que voltará. Watson, mande um bilhete para Stapleton, informando que você lamenta não poder comparecer.

— Sinto vontade de ir para Londres com vocês — disse o baronete. — Por que eu deveria ficar aqui sozinho?

— Porque este é o seu posto. Porque me deu sua palavra de que me obedeceria, e estou mandando você ficar.

— Pois bem, então eu fico.

— Mais uma instrução! Quero que vá de carroça até Merripit House. Mas mande a carroça voltar e informe-os de que pretende voltar a pé.

— Andando através do pântano?

— Sim.

— Mas é exatamente o que você tantas vezes me alertou para não fazer.

— Desta vez, poderá fazê-lo em segurança. Se eu não confiasse totalmente na sua calma e sua coragem, não sugeriria isso, mas é essencial que o faça.

— Então eu farei.

— E se dá valor à vida, não ande pelo pântano em qualquer direção, a não ser em linha reta de Merripit House até a Grimpen Road, que é o seu caminho natural para casa.

— Farei exatamente o que disse.

— Muito bem. Ficarei feliz em partir o quanto antes, após o desjejum, para chegar a Londres à tarde.

Esse programa assombrou-me sobremaneira, embora eu lembrasse o que Holmes dissera a Stapleton na noite anterior, que sua visita se encerraria no dia seguinte. Não me ocorrera, no entanto, que ele quisesse que eu fosse com ele, tampouco eu conseguia entender como poderíamos ambos estarmos ausentes num momento que ele próprio declarara crítico. Não havia nada a fazer, todavia, além de obedecer implicitamente; por isso dissemos adeus ao nosso infeliz amigo e algumas horas depois chegamos à estação de Coombe Tracey e despachamos a carroça de volta. Um garotinho esperava na plataforma.

— Alguma ordem, senhor?

— Você tomará este trem para a cidade, Cartwright. Assim que chegar lá, enviará um telegrama para Sir Henry Baskerville, em meu nome, dizendo que se ele encontrar a carteira que deixei cair, deve enviá-la por encomenda registrada para a Baker Street.

— Sim, senhor.

— E pergunte na agência da estação se há alguma mensagem para mim.

O garoto voltou com um telegrama, que Holmes me entregou. Dizia: Telegrama recebido. A caminho com mandato em branco. Chegada 17h40 — Lestrade.

— É uma resposta ao telegrama que enviei hoje de manhã. Ele é o melhor dos profissionais, eu acho, e podemos precisar de sua assistência. Agora, Watson, acho que não poderemos empregar nosso tempo melhor do que visitando a sua conhecida, a Sra. Laura Lyons.

Seu plano de campanha começava a tornar-se evidente. Ele usaria o baronete para convencer os Stapleton de que realmente partíramos, enquanto na verdade voltaríamos no instante em que provavelmente fôssemos necessários. Aquele telegrama de Londres, caso fosse mencionado por Sir Henry para os Stapleton, apagaria os últimos vestígios de suspeita de suas mentes. Eu já parecia ver nossas redes se estreitando ao redor daquele lúcio de bico fino.

A Sra. Laura Lyons estava em seu escritório, e Sherlock Holmes iniciou seu colóquio com uma franqueza e uma objetividade que a assombraram consideravelmente.

— Estou investigando as circunstâncias da morte de Sir Charles Baskerville — ele disse. — Meu amigo aqui, o Dr. Watson, informou-me o que a senhora comunicou e também o que sonegou com relação a esse assunto.

— O que eu soneguei? — ela perguntou, com ar desafiador.

— A senhora confessou ter pedido a Sir Charles que a esperasse na cancela às 22 horas. Sabemos que esses foram o lugar e a hora de sua morte. E sonegou a relação que existe entre esses acontecimentos.

— Não há relação nenhuma.

— Nesse caso, a coincidência deve ser mesmo extraordinária. Mas acho que conseguiremos estabelecer uma relação, no fim das contas. Quero ser totalmente franco com a senhora. Encaramos esse caso como um assassinato, e as provas podem incriminar não só o seu amigo, o Sr. Stapleton, mas também sua esposa.

A dama saltou da poltrona.

— Sua esposa! — ela gritou.

— O fato não é mais segredo. A pessoa que se passa por irmã dele é na realidade sua esposa.

A Sra. Lyons voltara a se sentar. Suas mãos agarravam os braços da poltrona, e notei que suas unhas rosadas tornaram--se brancas com a pressão exercida.

— Sua esposa! — ela disse novamente. — Sua esposa! Ele não é casado.

Sherlock Holmes deu de ombros.

— Prove isso! Prove! E se puder provar...! — O brilho feroz de seus olhos falava mais do que qualquer palavra.

— Vim preparado para tanto — disse Holmes, puxando várias folhas do bolso. — Aqui está uma fotografia do casal, tirada em York há quatro anos. A legenda diz "Sr. e Sra. Vandeleur", mas não terá dificuldade em reconhecê-lo, e a ela também, se já a conhece de vista. Aqui estão três descrições por escrito de testemunhas de confiança do Sr. e Sra. Vandeleur, que na época administravam a escola particular de St. Oliver. Leia-os e veja se é capaz de duvidar da identidade desse casal.

Ela correu os olhos pelas folhas, depois nos encarou com a expressão tensa e rígida de uma mulher desesperada.

— Sr. Holmes — ela disse —, esse homem me propôs casamento, com a condição de que eu pudesse obter o divórcio do meu marido. Mentiu para mim, o canalha, de todas as formas imagináveis. Nunca me disse uma só palavra sincera. E por que... por quê? Imaginei que tudo fosse pelo meu bem. Mas agora vejo que nunca passei de uma ferramenta em suas mãos. Por que deveria conservar-me fiel a ele, que nunca me foi fiel? Por que deveria tentar protegê-lo das consequências de seus atos perversos? Pergunte-me o que quiser, e não ocultarei nada. Uma coisa eu lhe juro, e é que, quando escrevi a carta, nem sonhava em fazer qualquer mal ao velho senhor, que foi meu mais bondoso amigo.

— Acredito totalmente na senhora — disse Sherlock Holmes. — Relatar esses acontecimentos deve ser muito doloroso, então talvez seja mais fácil que eu conte o que ocorreu, e a senhora pode me interromper se eu cometer qualquer erro importante. O envio dessa carta lhe foi sugerido por Stapleton?

— Ele a ditou.

— Presumo que o motivo que ele deu foi que a senhora receberia ajuda de Sir Charles para as custas judiciais relativas ao seu divórcio?

— Exatamente.

— E então, depois que a senhora enviou a carta, ele a dissuadiu de ir ao encontro?

— Ele disse que feriria seu respeito próprio se outro homem desse dinheiro para tal fim e que, embora ele fosse pobre, usaria até seu último centavo para remover os obstáculos que nos separavam.

— Ele parece ser um tipo bastante consistente. E então a senhora não soube de mais nada até ler os relatos da morte no jornal?

— Não.

— E ele lhe fez jurar que não diria nada sobre seu encontro com Sir Charles?

— Sim. Ele disse que a morte era muito misteriosa, e que certamente suspeitariam de mim, caso os fatos viessem à tona. Ele me convenceu a manter o silêncio pelo medo.

— De fato. Mas a senhora tinha suas suspeitas?

Ela hesitou e olhou para baixo.

— Eu o conhecia — ela disse. — Mas se ele tivesse se mantido fiel a mim, eu sempre faria o mesmo por ele.

— Acho que, no fim das contas, a senhora escapou de boa — disse Sherlock Holmes. — Teve o homem em seu poder e ele sabia disso, e mesmo assim está viva. A senhora andou por alguns meses muito perto da borda de um precipício. Precisamos nos despedir agora, Sra. Lyons, e é provável que faremos contato muito em breve.

— Nosso caso fica mais completo, e uma dificuldade após a outra se dissolve à nossa frente — disse Holmes, enquanto esperávamos a chegada do expresso vindo da cidade. — Logo estarei na posição de englobar numa única narrativa coerente um dos crimes mais singulares e sensacionais da época moderna. Estudantes de criminologia lembrarão os incidentes análogos de Grodno, na Rússia Menor, no ano de '66, e, é claro, há os homicídios de Anderson na Carolina do Norte, mas este caso possui algumas características que lhe são totalmente únicas. Mesmo agora, ainda não temos provas sólidas contra esse homem tão ardiloso. Mas ficarei muito surpreso se tudo não estiver claro o suficiente antes que nos deitemos esta noite.

O expresso de Londres chegou rugindo à estação e um homenzinho pequeno, atarracado como um buldogue, saltou de um vagão de primeira classe. Os três nos cumprimentamos com apertos de mão, e vi imediatamente, pelo modo reverente como olhava para o meu colega, que Lestrade aprendera muito desde a primeira vez em que trabalharam juntos. Eu lembrava bem o escárnio que as teorias do pensador suscitavam no homem prático.

— Algo bom? — ele perguntou.

— O melhor que já vi em anos — disse Holmes. — Temos duas horas antes de precisar pensar em começar. Acho que vamos empregá-las jantando, e então, Lestrade, limparemos sua garganta do nevoeiro de Londres com uma dose do puro ar noturno de Dartmoor. Nunca esteve lá? Ah, bem, acho que não há de esquecer sua primeira visita.

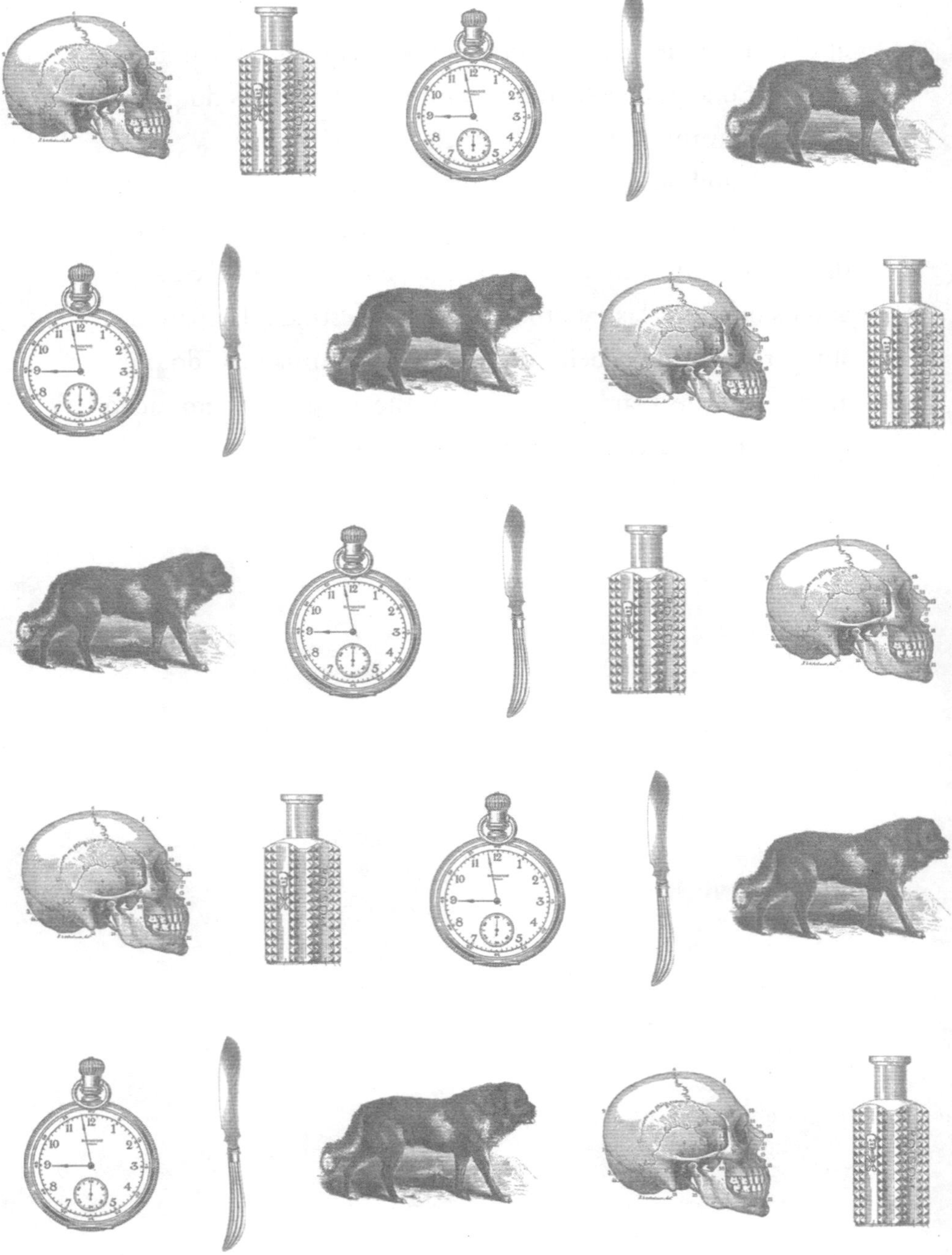

catorze
O CÃO DOS BASKERVILLE

Um dos defeitos de Sherlock Holmes — se, de fato, pode ser chamado de defeito — era a sua excessiva aversão a comunicar por completo seus planos a qualquer outra pessoa, até o instante de pô-los em prática. Em parte isso se devia, sem dúvida, à sua natureza magistral, que adorava dominar e surpreender quem estava ao seu redor. Em parte, também, à sua cautela profissional, que o instava a jamais correr riscos. O resultado, porém, era deveras exaustivo para aqueles que faziam as funções de seus agentes e assistentes. Muitas vezes sofri com isso, mas nunca tanto quanto durante aquela longa viagem na escuridão. A grande provação estava à nossa espera; finalmente estávamos na iminência de nosso esforço final, e mesmo assim Holmes nada dissera, e eu só podia supor qual seria o roteiro de suas ações. Meus nervos formigavam de expectativa, quando finalmente o vento frio em nossos rostos e a imensidão escura e deserta de ambos os lados da estreita via revelaram que estávamos, mais uma vez, de volta ao pântano. Cada passo dos cavalos e cada volta das rodas nos deixavam mais próximos da aventura suprema.

Nossa conversa era impedida pela presença do cocheiro da charrete alugada, de modo que éramos obrigados a falar de assuntos triviais, quando nossos nervos estavam tensos de emoção e antecipação. Foi um alívio, para mim, após aquele comedimento compulsório, quando finalmente passamos pela casa de Frankland e soubemos que estávamos nos aproximando da mansão e do local da ação. Não seguimos no veículo até a porta, mas descemos perto do portão que dava para a avenida. A charrete foi paga e enviada incontinenti de volta a Coombe Tracey, enquanto nós começamos a caminhar rumo a Merripit House.

— Está armado, Lestrade?

O pequeno detetive sorriu.

— Se estou usando calça, tenho um bolso, e se eu tenho um bolso, tenho algo nele.

— Ótimo! Meu amigo e eu também estamos prontos para emergências.

— Está fazendo muito mistério com esse caso, Sr. Holmes. Qual o jogo, agora?

— Um jogo de espera.

— Santo Deus, não parece um lugar muito alegre — disse o detetive com um calafrio, olhando ao seu redor para as encostas sombrias da colina e o grande lago de neblina que cobria o Charco de Grimpen. — Vejo as luzes de uma casa à nossa frente.

— Aquela é Merripit House, nosso destino. Devo pedir que andem na ponta dos pés e falem apenas sussurrando.

Seguimos cautelosamente pela trilha como se estivéssemos indo para a casa, mas Holmes nos fez parar quando estávamos a uns duzentos metros dela.

— Aqui está bom — ele disse. — Estas rochas à direita formam um esconderijo admirável.

— Devemos esperar aqui?

— Sim, prepararemos nossa singela emboscada neste lugar. Esconda-se naquela cavidade, Lestrade. Você já esteve dentro da casa, não esteve, Watson? Pode indicar a posição dos cômodos? O que são aquelas janelas treliçadas na ponta?

— Acho que são as janelas da cozinha.

— E a outra além, tão iluminada?

— Certamente é da sala de jantar.

— As venezianas estão abertas. Você conhece melhor o terreno. Arraste-se em silêncio e veja o que estão fazendo; mas pelo amor de Deus, não deixe que percebam que estão sendo observados!

Avancei na ponta dos pés pelo caminho e me agachei atrás do muro baixo que rodeava o pomar mal cuidado. Rastejando em sua sombra, cheguei num ponto de onde podia ver diretamente a janela sem cortinas.

Havia somente dois homens no recinto, Sir Henry e Stapleton. Estavam sentados de perfil para mim, um em frente ao outro à mesa redonda. Ambos fumavam charutos, e havia café e vinho na frente deles. Stapleton falava animadamente, mas o baronete parecia pálido e perturbado. Talvez a ideia da caminhada solitária pelo pântano agourento gravasse sobre sua mente.

Enquanto eu olhava, Stapleton levantou-se e saiu da sala, enquanto Sir Henry encheu novamente seu copo e se recostou na poltrona, baforando seu charuto. Ouvi o ranger de uma porta e o som nítido de botas pisando no cascalho. Os passos percorreram o caminho do outro lado do muro sob o qual eu estava agachado. Olhei e vi o naturalista parado à porta de uma edícula num canto do pomar. Uma chave virou numa fechadura e, depois que ele entrou, ouvi um som curioso de luta vindo lá de dentro. Ele só ficou cerca de um minuto em seu interior, e depois ouvi a chave virando mais uma vez, e ele passou por mim e voltou a entrar na casa. Eu o vi reunir-se com seu convidado e me arrastei silenciosamente de volta para onde meus companheiros esperavam que eu contasse o que vira.

— Está dizendo, Watson, que a mulher não está lá? — Holmes perguntou quando terminei meu relatório.

— Não.

— Onde ela pode estar, então, já que não há luz em nenhum outro cômodo, exceto a cozinha?

— Não sei dizer onde ela está.

Como eu disse, uma névoa densa e branca cobria o grande Charco de Grimpen. Ela avançava lentamente na nossa direção e se acumulava como uma muralha daquele nosso lado, baixa, mas espessa e bem definida. A lua brilhava sobre ela, que parecia uma grande geleira reluzente, com as pontas dos rochedos distantes assemelhando-se a pedras sobre sua superfície. O rosto de Holmes estava virado para ela, e ele resmungava impacientemente ao observar seu vagaroso movimento.

— Está se aproximando, Watson.

— Isso é grave?

— Muito grave mesmo; era a única coisa no mundo que poderia atrapalhar meus planos. Ele não deve demorar agora. Já são 22 horas. Nosso êxito e até a vida dele podem depender de sua saída antes que a neblina cubra o caminho.

A noite estava clara e amena sobre nós. As estrelas brilhavam frias, e a lua minguante banhava toda a paisagem com uma luz suave e incerta. Diante de nós erguia-se o volume escuro da casa, com seu teto crenulado e chaminés pontiagudas em duro contraste com o céu banhado de prata. Grandes faixas de luz dourada das janelas inferiores se estendiam pelo pomar e pelo pântano. Uma delas foi obliterada de repente. Os criados haviam saído da cozinha. Só restava a lâmpada na sala de jantar, onde os dois homens, o anfitrião assassino e o convidado insciente, ainda tagarelavam e fumavam seus charutos.

A cada minuto, aquela planície branca e lanuginosa, que cobria metade do pântano, se aproximava mais e mais da casa. Os primeiros fiapos dela já lambiam o quadrilátero dourado da janela iluminada. O muro mais distante do pomar já estava invisível, e as árvores despontavam de um redemoinho de vapor branco. Enquanto observávamos, as guirlandas de neblina rastejaram ao redor dos cantos da casa e rolaram lentamente, formando uma nuvem densa, sobre a qual o primeiro andar e o teto flutuavam como uma estranha embarcação num mar sombrio. Holmes bateu raivosamente com a mão na pedra diante de nós e pisou duro de impaciência.

— Se ele não sair dentro de um quarto de hora, o caminho estará coberto. Daqui a meia hora, não conseguiremos enxergar um palmo diante de nós.

— Vamos recuar para um local mais elevado?

— Sim, acho que seria bom.

Assim, enquanto a neblina avançava, retrocedemos para fora dela, até estarmos a uns oitocentos metros da casa, e aquele denso mar branco, com a lua tingindo de prata sua superfície, crescia lenta e inexoravelmente.

— Recuamos demais — disse Holmes. — Não podemos correr o risco de que ele seja alcançado antes de se unir a nós. A todo custo precisamos ficar onde estamos. Ele caiu de joelhos e colou um ouvido ao chão. — Graças a Deus, acho que o ouço aproximar-se.

O som de passos rápidos rompeu o silêncio do pântano. Agachados entre as pedras, observamos atentamente a nuvem prateada à nossa frente. Os passos ficaram mais altos, e através da neblina, como que de uma cortina, apareceu o homem que estávamos esperando. Ele olhou ao seu redor, surpreso por emergir na noite clara e estrelada. Então seguiu rapidamente pelo caminho, passou perto de onde estávamos e continuou subindo a longa encosta atrás de nós. Enquanto andava, olhava continuamente por cima dos dois ombros, como um homem pouco à vontade.

— Ei! — exclamou Holmes, e ouvi o estalo seco de uma pistola sendo engatilhada. — Cuidado! Está vindo!

Ouviu-se um tropel fino, nítido e contínuo de algum lugar no meio daquela nuvem rastejante. A nuvem estava a menos de cinquenta metros de nossa posição, e nós a fitávamos, os três, sem saber que horror estava prestes a irromper do seu âmago. Eu tinha Holmes ao meu lado, e olhei por um instante para o seu rosto. Estava pálido e exultante, com os olhos brilhando intensamente ao luar. Mas de repente eles se fixaram à frente num olhar rígido e imóvel, e seus lábios se abriram em assombro. No mesmo instante, Lestrade proferiu um grito de terror e jogou-se de bruços no chão. Saltei em pé, com a mão inerte segurando a pistola, minha mente paralisada pela forma hedionda que se lançava em nossa direção das sombras da neblina. Era um cão, um enorme cão negro como carvão, mas não como qualquer cão que olhos mortais já tivessem visto. Fogo saía de sua boca aberta, os olhos brilhavam com um olhar abrasador e o focinho, os pelos e o papo tinham uma aura de bruxuleantes labaredas. Nem nos sonhos delirantes de um cérebro adoentado poderia ser concebido algo mais selvagem, mais aterrador, mais infernal do que aquela forma escura e selvagem que saltou sobre nós, saindo da muralha de neblina.

Com longas passadas, a enorme criatura negra saltava pela trilha, no encalço dos passos do nosso amigo. Tão paralisados estávamos pela aparição que permitimos que passasse antes de controlarmos nossos nervos. Então Holmes e eu atiramos ao mesmo tempo, e a criatura emitiu um uivo pavoroso, mostrando que ao menos um tiro a havia acertado. Ela não se deteve, todavia, mas seguiu saltando. Bem longe na trilha víamos Sir Henry olhando para trás, seu rosto branco ao luar, suas mãos erguidas com horror, fitando desesperadamente a coisa assustadora que o estava caçando.

Mas o ganido de dor do cão lançara nossos temores ao vento. Se ele era vulnerável, era mortal, e se podíamos feri-lo, podíamos matá-lo. Jamais vi um homem correr como Holmes correu naquela noite. Sou considerado rápido com os pés, mas ele me deixou tão para trás quanto eu deixei para trás o pequeno policial. À nossa frente, enquanto desabalávamos pela trilha, ouvíamos grito após grito de Sir Henry e o grave rugido do cão. Cheguei a tempo de ver a besta-fera saltar sobre sua vítima, lançá-la ao chão e abocanhar-lhe a garganta. Mas no instante seguinte, Holmes esvaziara cinco câmaras de seu revólver no flanco da criatura. Com um uivo final de agonia e uma mordida feroz no ar, o cão rolou de costas, com as quatro patas furiosamente agitadas, e então desabou de lado. Eu me abaixei, ofegante, e encostei minha pistola em sua cabeça medonha e brilhante, mas seria inútil puxar o gatilho. O cão gigante estava morto.

Sir Henry jazia inconsciente onde caíra. Arrancamos seu colarinho, e Holmes murmurou uma prece de gratidão quando vimos que não havia sinal de ferimentos, e que o havíamos resgatado a tempo. As pálpebras do nosso amigo já fremiam e ele fazia fracos esforços para se mover. Lestrade meteu seu frasco de *brandy* entre os dentes do baronete, e dois olhos apavorados nos fitaram.

— Meu Deus! — ele murmurou. — O que era? O que, em nome de Deus, era aquilo?

— Está morto, seja o que for — disse Holmes. — Demos cabo do fantasma da família de uma vez por todas.

Só pelo tamanho e pela força, era uma criatura terrível que jazia estendida diante de nós. Não era um sabujo puro, tampouco um *mastiff* puro; mas parecia uma mistura dos dois — magro, selvagem e do tamanho de uma pequena leoa. Até na imobilidade da morte, as enormes mandíbulas pareciam verter uma chama azulada, e os olhos pequenos, fundos e cruéis tinham anéis de fogo. Pus minha mão sobre o focinho brilhante, e quando a levantei, meus dedos flamejavam e brilhavam na escuridão.

— Fósforo — eu disse.

— Uma formulação ardilosa da substância — disse Holmes, cheirando o corpo do animal. — Não tem cheiro algum que pudesse interferir em seu faro. Devemos-lhe um sincero pedido de desculpas, Sir Henry, por tê-lo exposto a esse terror. Eu estava preparado para um cão, mas não para uma criatura como essa. E a neblina nos deu pouco tempo para recebê-lo.

— Vocês salvaram a minha vida.

— Pondo-a primeiro em perigo. Tem forças suficientes para se levantar?

— Deem-me mais um gole daquele *brandy* e estarei pronto para tudo. Então! Agora ajudem-me a levantar-me. O que propõe que façamos?

— Vamos deixá-lo aqui. O senhor não está em condições de viver mais aventuras esta noite. Espere e algum de nós regressará com o senhor até a mansão.

Ele tentou pôr-se de pé, trôpego; mas ainda estava mortalmente pálido e com todos os membros trêmulos. Nós o levamos até uma pedra, onde ele se sentou, tremendo, com o rosto afundado nas mãos.

— Temos que deixá-lo, agora — disse Holmes. — O resto do nosso trabalho precisa ser feito, e cada momento é importante. Já obtivemos nossas provas, e agora só falta capturarmos nosso homem.

— São mil chances contra uma de encontrá-lo na casa — ele continuou, enquanto retraçávamos velozmente nossos passos no sentido oposto. — Os tiros devem tê-lo alertado de que seu jogo acabou.

— Estávamos a uma certa distância, e esta neblina pode tê-los abafado.

— Ele seguiu o cão para recolhê-lo; disso você pode ter certeza. Não, não, ele já se foi a esta altura! Mas vasculharemos a casa, só para ter certeza.

A porta da casa estava aberta, por isso nos precipitamos para dentro e corremos por todos os cômodos, para espanto de um velho e tremelicante criado que nos encontrou no corredor. Não havia luz, a não ser na sala de jantar, mas Holmes pegou a lâmpada e não deixou de vasculhar nenhum canto da casa. Não havia nem sinal do homem que perseguíamos. No andar de cima, porém, a porta de um dos dormitórios estava trancada.

— Há alguém ali dentro — gritou Lestrade. — Ouço movimentos. Abra essa porta!

Um gemido fraco e um farfalhar vieram do interior do quarto. Holmes golpeou a porta pouco acima da fechadura com a sola do pé e ela se escancarou. Pistolas em riste, os três irrompemos no quarto.

Mas não havia nem sombra, no interior da peça, do vilão desesperado e desafiador que esperávamos ver. Em vez disso, encontramos um objeto tão estranho e tão inesperado que nos quedamos imóveis por um momento, olhando-o assombrados.

O quarto havia sido transformado num pequeno museu, e as paredes estavam revestidas por inúmeras caixas com tampas de vidro, contendo a coleção de borboletas e mariposas cuja formação constituía o passatempo desse homem complexo e perigoso. No meio do quarto havia uma coluna vertical, colocada nalguma época para sustentar a velha viga de madeira roída pelos cupins que cruzava o telhado. A esse poste, uma figura estava amarrada, tão enrolada e amordaçada pelos panos usados para imobilizá-la que no momento era impossível dizer se era um homem ou uma mulher. Uma toalha passava por sua garganta, e estava amarrada atrás da pilastra. Outra cobria a parte inferior do rosto, e por cima dela dois olhos escuros — cheios de dor, vergonha e interrogações pavorosas — nos fitavam. Num minuto arrancamos a mordaça, desfizemos os nós, e a Sra. Stapleton desabou no chão diante de nós. Quando sua linda cabeça caiu sobre o peito, vi o nítido vergão vermelho de um chicote em seu pescoço.

— O bruto! — gritou Holmes. — Aqui, Lestrade, seu frasco de *brandy*! Sentem-na na poltrona! Ela desmaiou com os maus-tratos e a exaustão.

Ela voltou a abrir os olhos.

— Ele está a salvo? — ela perguntou. — Conseguiu fugir?

— Não poderá fugir de nós, madame.

— Não, não, não falo do meu marido. Sir Henry? Ele está a salvo?

— Sim.

— E o cão?

— Está morto.

Ela soltou um longo suspiro de satisfação.

— Graças a Deus! Graças a Deus! Oh, aquele vilão! Vejam como ele me tratou! — Ela arregaçou as mangas do vestido, e vimos, horrorizados, que seus braços estavam cobertos de hematomas. — Mas isso não é nada... nada! É minha mente e alma que ele torturou e deflorou. Poderia suportar tudo, maus-tratos, solidão, uma vida de mentiras, tudo, contanto que ainda pudesse me agarrar à esperança de ter seu amor, mas agora sei que nisso, também, fui seu joguete e sua ferramenta. — Ela desatou a soluçar passionalmente enquanto falava.

— A senhora não lhe tem nenhum apreço — disse Holmes. — Conte-nos, então, onde poderemos encontrá-lo. Se já o auxiliou a fazer o mal, ajude-nos agora e redima-se.

— Só existe um lugar para onde ele pode ter fugido — ela respondeu. — Há uma velha mina de estanho numa ilha no coração do charco. Era ali que ele mantinha seu cão, e ali, também, fazia preparativos para usá-la como refúgio. É para lá que ele fugiria.

A neblina cobria a janela como lá branca. Holmes aproximou dela a lâmpada.

— Veja — ele disse. — Ninguém conseguiria entrar no Charco de Grimpen esta noite.

Ela riu e bateu palmas. Seus olhos e dentes brilharam com um contentamento feroz.

— Ele pode ter conseguido entrar, mas jamais sair — ela exclamou. — Como enxergará os marcos de orientação esta noite? Nós os plantamos juntos, ele e eu, para indicar o caminho através do charco. Oh, se eu pudesse tê-los arrancado hoje! Então os senhores realmente o teriam à sua mercê.

Era evidente para nós que qualquer perseguição seria em vão enquanto a neblina não se dissipasse. Enquanto isso, deixamos Lestrade tomando conta da casa, e Holmes e eu voltamos com o baronete para Baskerville Hall. Não tínhamos mais como esconder dele a história dos Stapleton, mas ele absorveu o golpe bravamente ao saber a verdade sobre a mulher que amava. Porém, o choque das aventuras daquela noite lhe estraçalhou os nervos, e na madrugada ele delirava, com febre alta, sob os cuidados do Dr. Mortimer. Os dois estavam destinados a viajar juntos ao redor do mundo antes que Sir Henry voltasse a ser o homem sadio e vigoroso que era no período anterior ao da posse daquela malfadada propriedade.

E agora, chego rapidamente à conclusão desta singular narrativa, na qual tentei fazer com que o leitor compartilhasse os temores sombrios e vagas suposições que anuviaram por tanto tempo nossas vidas e terminaram de maneira tão trágica. Na manhã seguinte à morte do cão, a neblina se dissipou e fomos guiados pela Sra. Stapleton até o lugar onde o casal descobrira um caminho em meio ao lodaçal. Pudemos dar-nos conta do horror da vida dessa mulher ao vermos a sofreguidão e a alegria com que nos pôs nos rastros do seu marido. Nós a deixamos de pé na fina península de turfa sólida que se estreitava para dentro do imenso lodaçal. De sua extremidade, pequenas varetas plantadas aqui e ali mostravam onde o caminho ziguezagueava de tufo em tufo de vegetação entre as poças esverdeadas e atoleiros nauseabundos que barravam o caminho aos forasteiros. Juncos fétidos e plantas aquáticas viçosas e reluzentes lançavam um odor de podridão e um pesado vapor miasmático em nossos rostos, e mais do que um passo em falso nos fez afundar até as coxas no charco escuro e gelatinoso, que se agitava por metros em suaves ondulações ao redor dos nossos pés. Sua forte viscosidade prendia-nos os calcanhares quando andávamos, e quando caíamos nela, era como se uma mão maligna nos puxasse para aquelas profundezas obscenas, de tão macabras e intencionais eram as tenazes com que nos segurava. Só uma vez vimos uma pista de que alguém fizera aquela rota perigosa antes de nós. Do meio de um tufo de algodão selvagem, sustentado fora da gosma pela planta, projetava-se um objeto escuro. Holmes afundou até a cintura ao pisar fora da trilha para pegá-lo, e se não estivéssemos ali para puxá-lo de volta, talvez ele nunca mais pusesse os pés em terra firme. Ele levantou uma velha bota preta. "Meyers, Toronto" estava impresso no couro por dentro.

— Valeu o banho de lama — ele disse. — É a bota desaparecida do nosso amigo Sir Henry.

— Jogada ali por Stapleton na fuga.

— Exato. Ele a trazia na mão, depois de usá-la para açular o cão em seu encalço. Fugiu quando percebeu que o jogo acabou, ainda com a bota na mão. E a deitou fora neste ponto de sua fuga. Ao menos sabemos que ele chegou até aqui em segurança.

Mas mais do que isso jamais estaríamos destinados a saber, embora ainda pudéssemos fazer muitas suposições. Não havia como encontrar pegadas no charco, pois a lama as engolia rapidamente, mas quando finalmente chegamos ao terreno mais firme depois do lamaçal, todos procuramo-las ansiosamente. Mas não fomos capazes de localizar o menor sinal delas. Se a história que o solo contava era real, então Stapleton jamais chegou àquela ilha de refúgio que lutara para alcançar em meio à neblina na noite passada. Em algum lugar do coração do grande Charco de Grimpen, no fundo da gosma fedorenta do enorme brejo que o sugara, esse homem frio e cruel está enterrado para sempre.

Muitos dos seus rastros encontramos na ilha cercada de lama onde ele escondia seu selvagem aliado. Uma enorme polia e um poço cheio de entulho até a metade marcavam a posição de uma mina abandonada. Ao lado dela estavam as ruínas das casas dos mineiros, afugentados, sem dúvida, pelas emanações fétidas do pântano ao redor. Numa dessas, um gancho e uma corrente, com uma quantidade de ossos roídos, mostravam onde o animal era confinado. Um esqueleto com um emaranhado de pelos marrons ainda colados a ele jazia entre os escombros.

— Um cão! — disse Holmes. — Por Jove, um *cocker spaniel*! O pobre Mortimer jamais voltará a ver seu bichinho. Bem, acho que este lugar não contém nenhum segredo que já não tenhamos desvendado. Ele podia esconder seu cão, mas não podia calar o animal, por isso vinham aqueles uivos tão desagradáveis de se ouvir, mesmo à luz do dia. Numa emergência, ele podia manter o cão na edícula em Merripit, mas isso era sempre um risco, e só no dia supremo, que ele considerava o fim de todos os seus esforços, Stapleton ousou fazê-lo. A pasta dentro desta lata é sem dúvida a mistura luminosa que ele espargia na criatura. Ela foi sugerida, é claro, pela história do cão infernal da família, e pelo desejo de matar o velho Sir Charles de medo. Não admira que aquele pobre-diabo do preso fugiu e gritou, como o nosso amigo, e como nós mesmos faríamos ao ver tal criatura saltando pela escuridão do pântano em seu encalço. Era um recurso ardiloso, pois, à parte a possibilidade de levar a vítima à morte, que camponês ousaria investigar muito de perto uma criatura assim, caso a visse, como muitos viram, no pântano? Eu disse em Londres, Watson, e repito agora, que jamais ajudamos a caçar um homem mais perigoso do que aquele que jaz ali — ele moveu seu longo braço na direção da vasta extensão de lama manchada de verde que se descortinava até fundir-se com as encostas avermelhadas no pântano.

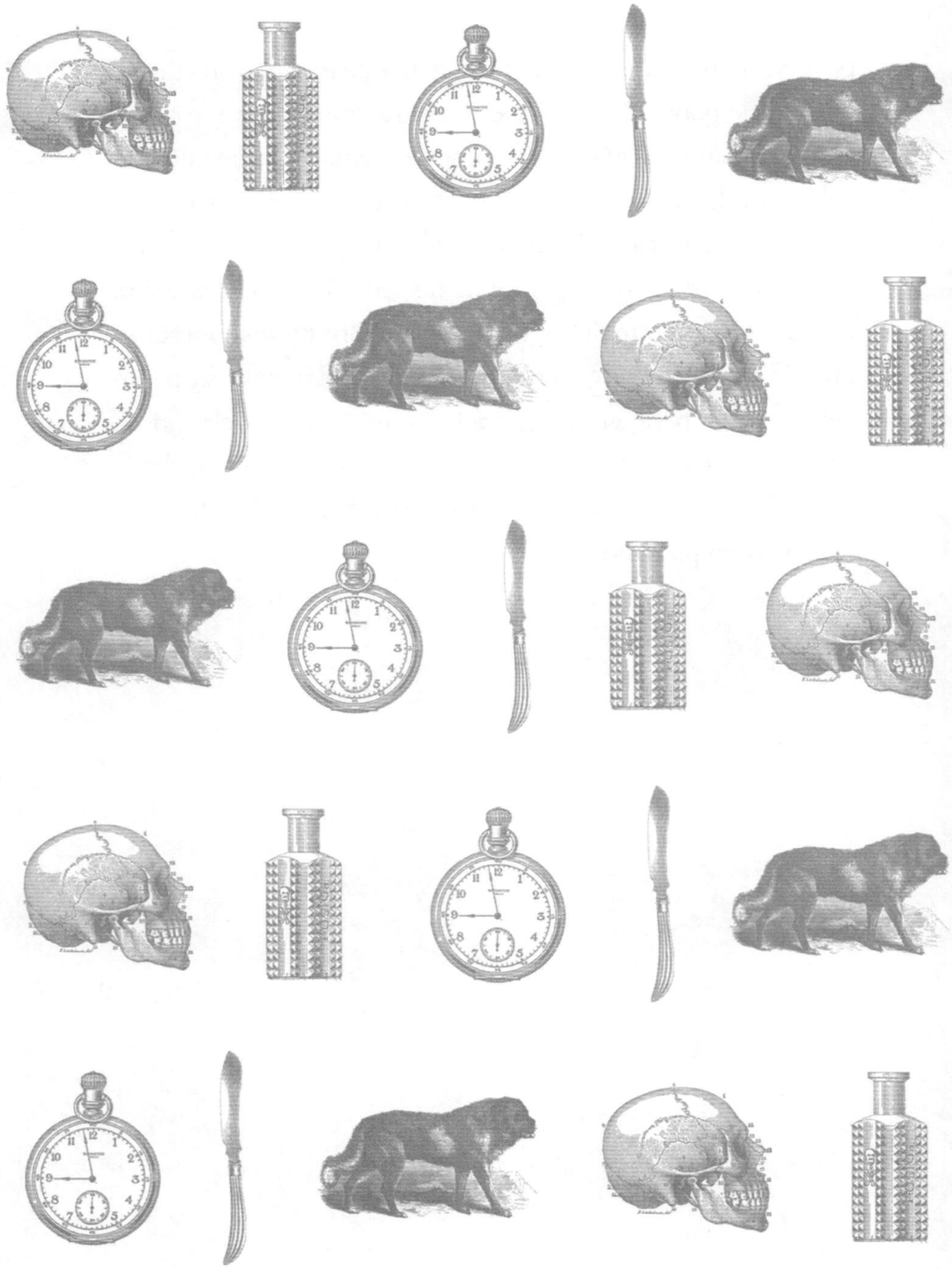

quinze
UMA RETROSPECTIVA

Era o final de novembro, e Holmes e eu sentávamos, numa noite fria e enevoada, um de cada lado de uma flamejante lareira em nossa sala na Baker Street. Desde o trágico resultado de nossa visita a Devonshire, ele estivera ocupado com dois casos da maior importância, no primeiro dos quais expusera a conduta atroz do coronel Upwood em conexão com o famoso escândalo do carteado do Clube Nonpareil, enquanto no segundo defendera a desventurada Mme. Montpensier da acusação de assassinato, que a ameaçava devido à morte de sua enteada, Mlle. Carère, a jovem que, como todos hão de se lembrar, foi descoberta seis meses depois, viva e casada, em Nova York. Meu amigo estava de humor excelente com o êxito que lograra numa sucessão de casos difíceis e importantes, de modo que pude induzi-lo a discutir os detalhes do mistério de Baskerville. Eu esperara pacientemente pela oportunidade, pois tinha consciência de que ele jamais permitia que casos se sobrepusessem, e que sua mente clara e lógica não fosse desviada de seu trabalho presente para deter-se sobre lembranças do passado. Sir Henry e o Dr. Mortimer estavam, porém, em Londres, a caminho daquela longa viagem que fora recomendada para a restauração de seus nervos estraçalhados. Os dois haviam nos visitado naquela tarde, de modo que era natural que o assunto entrasse em discussão.

— Toda a sequência de acontecimentos — disse Holmes —, do ponto de vista do homem que se apresentava como Stapleton, foi simples e direta, embora para nós, que não tínhamos como, de início, saber os motivos de suas ações e só conhecíamos parte dos fatos, tudo parecesse extremamente complexo. Tirei vantagem de duas conversas com a Sra. Stapleton, e o caso, agora, foi esclarecido tão completamente que desconheço qualquer coisa que permaneça um segredo para nós. Você encontrará algumas anotações sobre o assunto na letra B da minha lista indexada de casos.

— Talvez você pudesse ter a bondade de me apresentar um esboço da sequência dos acontecimentos de memória.

— Com prazer, embora eu não possa garantir que tenha em mente todos os fatos. A concentração mental intensa tem o curioso efeito de apagar o que se passou. O advogado que tem seu caso na ponta dos dedos e é capaz de discutir com um especialista sobre o assunto descobre que uma ou duas semanas nos tribunais expulsarão tudo de sua cabeça novamente. Portanto, cada um dos meus casos substitui o último, e a Mlle. Carère borrou minha lembrança de Baskerville Hall. Amanhã, algum outro probleminha pode ser submetido à minha atenção, que por sua vez despejará a bela dama francesa e o infame Upwood. Quanto ao caso do cão, todavia, apresentarei a sequência dos acontecimentos tão exatamente quanto possível, e você sugerirá qualquer coisa que eu possa ter esquecido.

"Minhas investigações mostram, sem sombra de dúvida, que o retrato de família não mentiu, e que esse camarada era, de fato, um Baskerville. Ele era filho daquele Rodger Baskerville, o irmão mais novo de Sir Charles, que fugiu com uma reputação sinistra para a América do Sul, onde diziam que havia morrido sem ter-se casado. Mas casou-se, sim, na verdade, e teve um filho, esse camarada, cujo verdadeiro nome é o mesmo de seu pai. Ele se casou, por sua vez, com Beryl Garçia, uma das beldades da Costa Rica, e tendo açambarcado uma quantia considerável de dinheiro público, mudou seu nome para Vandeleur e fugiu para a Inglaterra, onde fundou uma escola no leste de Yorkshire. Seu motivo para aventurar-se nesse ramo em especial era ter-se aproximado de um preceptor tísico na viagem para cá e usado a habilidade desse homem para tornar a empreitada um sucesso. Fraser, o preceptor, morreu, no entanto, e a escola, que começara bem, decaiu do descrédito para a infâmia. O casal Vandeleur achou conveniente mudar seu nome para Stapleton, e ele trouxe o que restava de sua fortuna, seus planos para o futuro e seu pendor para a entomologia para o sul da Inglaterra. Descobri no Museu Britânico que ele era uma autoridade de renome no ramo, e que o nome Vandeleur foi permanentemente associado a uma certa mariposa que ele fora, na época de Yorkshire, o primeiro a descrever.

"Chegamos agora à parte de sua vida que provou ser de tão intenso interesse para nós. O sujeito evidentemente investigara e descobrira que só duas vidas interpunham-se entre ele e uma valiosa propriedade. Quando ele foi para Devonshire, seus planos eram, acredito, extremamente vagos, mas que ele tinha más intenções desde o início fica evidente pelo modo como trouxe sua esposa no papel de irmã. Isso demonstra que a ideia de usá-la como uma isca já estava em sua mente, embora talvez ele não tivesse certeza quanto aos detalhes de como pôr em prática o seu estratagema. Seu objetivo final era apossar-se da propriedade, e ele estava disposto a usar qualquer ferramenta ou correr qualquer risco para esse fim. Seu primeiro passo foi estabelecer-se tão perto de seu lar ancestral quanto possível, e o segundo, cultivar uma amizade com Sir Charles Baskerville e com os vizinhos.

UMA RETROSPECTIVA

"O próprio baronete lhe contou do cão da família, e assim preparou o caminho para a própria morte. Stapleton, como continuarei a chamá-lo, sabia que o coração do velho era fraco e que um choque o mataria. Tudo isso ele aprendeu com o Dr. Mortimer. Ele também ouvira que Sir Charles era supersticioso e levava aquela lenda macabra muito a sério. Sua mente engenhosa instantaneamente sugeriu uma maneira pela qual o baronete poderia ser morto, tornando todavia quase impossível incriminar o verdadeiro assassino.

"Tendo concebido a ideia, ele procedeu à sua execução com *finesse* considerável. Um planejador comum contentar-se-ia em trabalhar com um cão selvagem. O uso de meios artificiais para tornar a criatura diabólica foi um toque de gênio de sua parte. O cão, ele comprou em Londres de Ross e Mangles, os criadores da Fulham Road. Era o mais forte e selvagem que eles tinham. Ele o trouxe pela linha de North Devon e andou a pé uma grande distância através do pântano para levá-lo até a casa sem motivar comentários. Ele já havia, em suas caçadas atrás de insetos, aprendido a penetrar no Charco de Grimpen, e tinha encontrado, assim, um esconderijo seguro para a criatura. Ali ele a confinou e aguardou sua oportunidade.

"Mas ela demorou a vir. Era impossível atrair o velho senhor para fora de sua propriedade à noite. Por várias vezes Stapleton vagou com seu cão, mas em vão. Foi durante essas incursões infrutíferas que ele, ou melhor, o seu aliado, foi visto pelos camponeses, e assim a lenda do cão demoníaco recebeu uma nova confirmação. Ele esperava que sua esposa pudesse atrair Sir Charles para a sua ruína, mas nisso ela provou ser inesperadamente independente. Recusou-se a tentar enredar o velho senhor num liame sentimental que pudesse deixá-lo à mercê de seu inimigo. Ameaças e até, dói-me dizer, pancadas foram inúteis para motivá-la. Ela não queria ter nada a ver com o assunto, e por algum tempo Stapleton viu-se num impasse.

"Ele descobriu uma saída para as suas dificuldades quando quis o acaso que Sir Charles, que se tornara seu amigo, fizesse dele o agente de sua caridade no caso dessa desventurada mulher, a Sra. Laura Lyons. Apresentando-se como solteiro, ele adquiriu total influência sobre ela e deu-lhe a entender que, caso esta obtivesse o divórcio, ele a desposaria. Seus planos foram repentinamente apressados pela descoberta de que Sir Charles estava para deixar a mansão, aconselhado pelo Dr. Mortimer, com cuja opinião o próprio Stapleton fingiu concordar. Ele precisava agir sem demora, ou sua vítima estaria fora do seu alcance. Portanto, pressionou a Sra. Lyons para que escrevesse aquela carta, implorando que o velho se encontrasse com ela na noite da véspera de sua partida para Londres. Então, com um argumento especioso, evitou que ela fosse, e assim teve a oportunidade que tanto aguardara.

UMA RETROSPECTIVA

"Voltando de carruagem de Coombe Tracey à noite, ele chegou a tempo de pegar seu cão, adereçá-lo com sua tinta infernal e levá-lo até a cancela onde tinha motivos para crer que encontraria o velho cavalheiro esperando. O cão, açulado por seu dono, saltou sobre a cancela e perseguiu o desventurado baronete, que fugiu gritando pela Alameda dos Teixos. Naquele túnel sombrio, deve ter sido mesmo horripilante ver aquela imensa criatura negra, com suas presas flamejantes e olhos em brasa, saltando atrás de sua vítima. Ele caiu morto no fim da alameda, abatido por seu coração fraco e pelo terror. O cão se mantivera na grama da margem enquanto o baronete corria pelo meio, de modo que só as pegadas do homem eram visíveis. Ao vê-lo prostrado e imóvel, a criatura provavelmente se aproximou para cheirá-lo, mas encontrando-o morto, afastou-se de novo. Foi então que o animal deixou a pegada que foi observada pelo Dr. Mortimer. O cão foi chamado e levado às pressas para seu abrigo no Charco de Grimpen, e restou um mistério que intrigou as autoridades, alarmou a zona rural e finalmente trouxe o caso para o âmbito de nossa observação.

"Sobre a morte de Sir Charles Baskerville, é isso. Perceba a sua genialidade diabólica, pois seria realmente quase impossível amealhar provas contra o verdadeiro assassino. Seu único cúmplice jamais poderia denunciá-lo, e a natureza grotesca e inconcebível do plano só servia para torná-lo mais eficaz. As duas mulheres envolvidas no caso, a Sra. Stapleton e a Sra. Laura Lyons, tinham fortes suspeitas contra Stapleton. A Sra. Stapleton sabia dos seus planos contra o velho, e também da existência do cão. A Sra. Lyons nada sabia dessas coisas, mas ficara impressionada com a morte na hora de um encontro não cancelado, do qual só Stapleton tinha conhecimento. Todavia, ambas estavam sob sua influência, e ele nada tinha a temer das duas damas. A primeira metade da tarefa fora cumprida exitosamente, mas restava ainda a parte mais difícil.

"É possível que Stapleton não soubesse da existência de um herdeiro no Canadá. Em todo caso, ele logo descobriria pelo seu amigo Dr. Mortimer, que lhe contou todos os detalhes da chegada de Henry Baskerville. A primeira ideia de Stapleton foi que esse jovem estrangeiro do Canadá talvez pudesse ser morto em Londres, antes mesmo de chegar em Devonshire. Ele não confiava mais na esposa desde que esta se recusara a ajudá-lo a armar a cilada para o velho, e não ousava perdê-la de vista por muito tempo, temendo perder sua influência sobre ela. Foi por esse motivo que ele a levou para Londres consigo. Eles se hospedaram, eu descobri, no Hotel Particular Mexborough, na Craven Street, que realmente estava na lista daqueles visitados pelo meu agente em busca de provas. Ali, ele manteve a esposa aprisionada no quarto, enquanto ele, disfarçado com uma barba, seguiu o Dr.

UMA RETROSPECTIVA

Mortimer até a Baker Street, e depois até a estação e o Hotel Northumberland. Sua esposa fazia alguma ideia dos planos do marido; mas temia-o de tal maneira — um temor fundado por maus-tratos brutais — que não ousava escrever para avisar o homem que ela sabia estar em perigo. Se a carta fosse parar nas mãos de Stapleton, a própria vida da esposa estaria ameaçada. Finalmente, como sabemos, ela adotou o expediente de recortar as palavras que formariam a mensagem e endereçar a carta disfarçando a caligrafia. Esta chegou ao baronete, e lhe deu o primeiro aviso do perigo que corria.

Era essencial para Stapleton obter alguma peça do vestuário de Sir Henry, de modo que, caso ele fosse levado a usar o cão, pudesse sempre ter o meio de açular o animal em seu encalço. Com prontidão e audácia características, ele empenhou-se nisso imediatamente, e não podemos duvidar de que o engraxate ou alguma criada do hotel foram bem subornados para ajudá-lo em seu desígnio. Por acaso, entretanto, a primeira bota que lhe foi trazida era nova, e portanto inútil para o seu propósito. Ele a devolveu, então, e obteve outra — um incidente assaz instrutivo, já que provava conclusivamente, para mim, que estávamos às voltas com um cão real, pois nenhuma outra suposição poderia explicar essa ansiedade para obter uma bota velha e a indiferença a uma nova. Quanto mais ultrajante e grotesco um incidente for, com maior cuidado merece ser examinado, e exatamente o detalhe que parece complicar um caso é, quando bem considerado e cientificamente analisado, aquele que mais provavelmente o elucidará.

"Então tivemos a visita dos nossos amigos na manhã seguinte, sempre seguidos por Stapleton no táxi. Pelo conhecimento que ele tinha de nossos aposentos e da minha aparência, bem como por sua conduta geral, estou inclinado a acreditar que a carreira de Stapleton no crime de maneira alguma se limita a este caso de Baskerville. É sugestivo que nos últimos três anos tenham havido quatro furtos consideráveis no Oeste, nenhum dos quais levou à prisão do criminoso. O último desses, em Folkestone Court, em maio, ganhou destaque pelos tiros a sangue frio no pajem, que surpreendera o ladrão mascarado e solitário. Não duvido que Stapleton tenha empregado suas minguantes economias dessa forma e que fosse havia anos um homem desesperado e perigoso.

"Tivemos um exemplo de sua presteza de espírito naquela manhã em que ele nos escapou com tanto sucesso, e também de sua audácia em me mandar de volta meu próprio nome pelo taxista. Naquele momento, ele entendeu que eu assumira o caso em Londres e que portanto não teria oportunidade de agir aqui. Ele voltou para Dartmoor e aguardou a chegada do baronete."

— Um momento! — eu disse. — Você, sem dúvida, descreveu a sequência dos acontecimentos corretamente, mas há um detalhe que deixou sem explicação. O que acontecia com o cão quando seu dono estava em Londres?

— Dei alguma atenção a essa questão, e ela indubitavelmente é importante. Não resta dúvida de que Stapleton tinha um confidente, embora fosse improvável que tivesse se colocado à mercê deste, revelando-lhe todos os seus planos. Havia um velho criado em Merripit House cujo nome era Anthony. Sua relação com os Stapleton vem de vários anos, da época em que tinham uma escola, de modo que ele devia saber que seus patrões eram, na verdade, marido e mulher. Esse homem desapareceu e fugiu do país. É sugestivo pensar que Anthony não é um nome comum na Inglaterra, ao passo que Antonio o é em todos os países hispânicos ou hispano-americanos. O homem, como a própria Sra. Stapleton, falava bem o inglês, mas com um curioso sotaque ciciado. Eu mesmo vi esse senhor atravessar o Charco de Grimpen pelo caminho que Stapleton demarcara. É muito provável, portanto, que na ausência do patrão era ele que cuidava do cão, embora talvez nem soubesse do propósito com que a fera era usada.

"Os Stapleton partiram, então, para Devonshire, onde logo foram seguidos por Sir Henry e por você. Uma palavra, agora, sobre a minha situação naquele momento. Talvez você se lembre de que, quando examinei a folha na qual as palavras impressas estavam coladas, eu a inspecionei procurando a marca d'água. Ao fazer isso, eu a segurei a poucos centímetros dos olhos e notei um fraco resquício do aroma conhecido como jasmim branco. Existem 75 perfumes, e é essencial para um especialista criminal saber distinguir uns dos outros, e muitos casos, na minha experiência, dependeram de seu pronto reconhecimento. O aroma sugeria a presença de uma dama, e meus pensamentos já começaram a se voltar para os Stapleton. Assim, eu me certificara do cão e adivinhara o criminoso antes mesmo que fôssemos para o Oeste.

"Meu jogo era observar Stapleton. Era evidente, todavia, que eu não poderia fazê-lo se estivesse com você, já que ele estaria totalmente em guarda. Iludi a todos, portanto, inclusive você, e viajei secretamente, quando supunham-me em Londres. Meu desconforto não foi tão grande quanto você imagina, embora tais detalhes sem importância jamais devam interferir na investigação de um caso. Eu ficava a maior parte do tempo em Coombe Tracey, e só usava a cabana no pântano quando era necessário estar próximo ao local da ação. Cartwright viera comigo e, disfarçado de garoto do campo, foi-me de grande ajuda. Eu dependia dele para ter comida e camisas limpas. Enquanto eu observava Stapleton, Cartwright frequentemente observava você, de maneira que eu conseguia ter à mão todos os fios da trama.

"Já contei que seus relatórios chegavam às minhas mãos rapidamente, sendo encaminhados sem demora da Baker Street para Coombe Tracey. Eles foram de grande utilidade, especialmente com aquele detalhe biográfico acidentalmente sincero de Stapleton. Pude estabelecer a identidade do homem e da mulher, e soube afinal exatamente quem eu enfrentava. O caso havia sido consideravelmente complicado pelo incidente do preso fugitivo e pela sua ligação com o casal Barrymore. Isso você também esclareceu de maneira eficaz, embora eu já tivesse chegado às mesmas conclusões a partir das minhas próprias observações.

"Quando você me descobriu no pântano, eu já tinha conhecimento completo de todo o caso, mas não tinha provas que pudesse apresentar num tribunal. Até o ataque de Stapleton a Sir Henry naquela noite, que resultou na morte do infeliz preso, não ajudava muito a culpar nosso homem pelo assassinato. Parecia não haver alternativa senão apanhá-lo em flagrante, e assim tivemos que usar Sir Henry, sozinho e aparentemente desprotegido, como isca. Fizemos isso, e ao preço de um severo choque para nosso cliente, conseguimos completar nosso caso e causar a destruição de Stapleton. Que Sir Henry tenha sido exposto a isso é, devo confessar, um demérito para minha condução do caso, mas não tínhamos como antever o espetáculo terrível e paralisante que a fera apresentava, tampouco poderíamos prever a neblina que permitiu que ela aparecesse tão de surpresa. Alcançamos nosso objetivo a um custo que tanto o especialista quanto o Dr. Mortimer me garantem que será temporário. Uma longa viagem poderá permitir que nosso amigo recupere não só seus nervos, mas também seu coração ferido. Seu amor pela dama era profundo e sincero, e para ele, a parte mais triste de todo esse caso sombrio foi ter sido enganado por ela.

"Só me resta indicar o papel que ela desempenhou em tudo. Não há dúvida de que Stapleton exercia sobre ela uma influência que podia ser amor ou medo, ou muito possivelmente ambos, já que de modo algum as duas emoções são incompatíveis. Era, no mínimo, absolutamente eficaz. Ao comando dele, ela consentiu em passar-se por irmã, embora ele tenha descoberto os limites de sua influência sobre ela ao tentar torná-la cúmplice direta de um assassinato. Ela estava disposta a alertar Sir Henry, contanto que pudesse fazê-lo sem incriminar o seu marido, e repetidas vezes tentou isso. O próprio Stapleton parecia capaz de sentir ciúme, e quando viu o baronete cortejando a dama, embora isso fizesse parte de seu plano, mesmo assim não pôde evitar interrompê-los com um rompante passional que revelou a alma incensada que seus modos contidos tão astutamente ocultavam. Encorajando essa intimidade, ele garantia que Sir Henry iria frequentemente para Merripit House, e assim proporcionaria, cedo ou tarde, a oportunidade desejada. No dia da crise, todavia, sua esposa voltou-se de repente contra ele. Ela soubera algo sobre a morte do preso, e sabia que o cão estava sendo mantido na edícula na noite em que Sir Henry viria jantar. Ela confrontou o marido com seu planejado crime, e uma altercação furiosa se seguiu, na qual ele lhe revelou, pela primeira vez, que ela tinha uma rival em seu amor. Sua fidelidade transformou-se num instante em amargo ódio, e ele percebeu que ela o trairia. Ele a amarrou, portanto, para que não tivesse como alertar Sir Henry, na esperança, sem dúvida, de que quando toda a região atribuísse a morte do baronete à maldição de sua família, como certamente aconteceria, poderia convencer a esposa a aceitar um fato consumado e guardar silêncio sobre o que ela sabia. Nisso eu imagino, em todo caso, que ele cometeu um erro de cálculo, e que se não estivéssemos presentes, seu destino estaria selado mesmo assim. Uma mulher de sangue espanhol não perdoa tão facilmente uma injúria dessas. E agora, meu caro Watson, sem consultar minhas anotações, não posso dar um relato mais detalhado desse curioso caso. Acho que nada essencial ficou sem explicação."

— Ele não podia esperar que Sir Henry morresse de susto, como aconteceu com o velho tio ao ver o cão fantasma.

— A fera era selvagem e era mantida faminta. Se sua aparência não matasse a vítima de susto, ao menos paralisaria a resistência que poderia ser oferecida.

— Sem dúvida. Só resta uma dificuldade. Se Stapleton entrasse na sucessão, como explicaria o fato de que ele, o herdeiro, vivia secretamente com outro nome tão perto da propriedade? Como poderia reivindicá-la sem suscitar suspeitas e investigações?

— É uma dificuldade formidável, e temo que esteja pedindo demais ao esperar que eu a resolva. O passado e o presente são o escopo de minha investigação, mas o que um homem pode fazer no futuro é uma pergunta difícil de ser respondida. A Sra. Stapleton ouvira o marido falar do problema em várias ocasiões. Havia três caminhos possíveis. Ele poderia reivindicar a propriedade a partir da América do Sul, estabelecer sua identidade diante das autoridades britânicas ali, e assim obter a fortuna sem jamais vir à Inglaterra; ou poderia adotar um disfarce elaborado durante o curto período de tempo que precisasse permanecer em Londres; ou ainda passar a um cúmplice as provas e documentos, fazendo-o passar-se por herdeiro, e reivindicar por sua vez alguma parte de sua renda. Não podemos duvidar, pelo que sabemos dele, que Stapleton teria encontrado alguma solução para essa dificuldade. E agora, meu caro Watson, tivemos algumas semanas de trabalho duro, e por uma noite, acho, podemos voltar nossos pensamentos para canais mais agradáveis. Tenho um camarote reservado para *Les Huguenots*. Já ouviu De Reszkes? Posso pedir, então, que esteja pronto em meia hora, assim poderemos jantar no Marcini's a caminho de lá?